5일 완성 프로젝트

파이널

안쌤의 창의적 문제해결력

과학 50제

초등
3~4학년

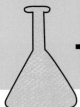

구성과 특징

과학 사고력

영재성검사, 창의적 문제해결력 검사 및 평가, 창의탐구력 검사에 출제되는 문제 유형입니다. 개념 이해력을 평가할 수 있는 교과 개념과 관련된 사고력 문제 유형과, 탐구 능력을 평가할 수 있는 실험과 관련된 탐구력 문제 유형으로 구성하였습니다.

과학 창의성

영재성검사, 창의적 문제해결력 검사 및 평가에 출제되는 문제 유형입니다. 창의성 평가 요소 중 유창성과 독창성 및 융통성을 평가할 수 있는 창의성 문제 유형으로 구성하였습니다. 유창성은 원활하고 민첩하게 사고하여 많은 양의 산출 결과를 내는 능력으로, 어떤 문제의 유효한 아이디어를 제한된 시간 내에 많이 쏟아내야 합니다. 독창성은 새롭고 독특한 아이디어를 산출해 내는 능력으로, 유창성 점수를 받은 유효한 아이디어 중 같은 학년의 학생들이 생각할 수 있는 아이디어가 아닌 특이하고 새로운 방식의 아이디어인 경우 추가로 점수를 받을 수 있습니다. 융통성은 생성해 낸 아이디어의 범주의 수를 의미하며, 다양한 각도에서 생각해야 합니다.

과학 STEAM

창의적 문제해결력 검사 및 평가, 창의탐구력 검사에 출제되는 신 유형의 융합사고력 문제입니다. 융합사고력 문제는 단계적 문제 유형으로, 첫 번째 문제로 문제 파악 능력을 평가하고, 두 번째 문제로 파악한 문제의 해결 능력을 평가할 수 있는 유형으로 구성하였습니다.

채점표

강별 배점이 100점이 되도록 문항별 점수와 평가 영역별 점수를 구성하였습니다. 과학 사고력 문항은 개념 이해력과 탐구 능력을, 과학 창의성은 유창성과 독창성 및 융통성을, 과학 STEAM은 문제 파악 능력과 문제 해결 능력을 평가 영역으로 구성하였습니다. 또한 채점 결과에 따른 문제 유형별 공부 방법을 제시하였습니다.

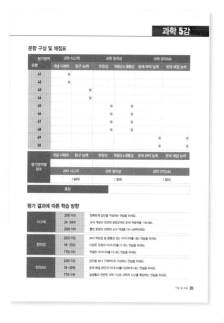

서술형 채점 기준

영재성검사, 창의적 문제해결력 검사 및 평가, 창의탐구력 검사에 출제되는 문제는 모두 서술형입니다. 부분 점수가 없는 객관식과 달리 서술형은 문제에서 요구하는 평가 요소들을 모두 넣어서 답안을 작성했는지에 따라 점수가 달라집니다. 자신의 답안을 채점 기준에 맞게 채점해 보면 서술형 답안 작성 방법을 연습할 수 있습니다.

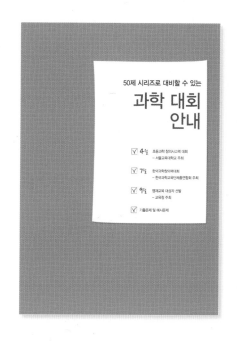

부록 50제 시리즈로 대비할 수 있는 과학 대회 안내

다양한 과학 대회들 중 어떻게 대회를 준비해야 하는지 고민하시는 분들을 위해 50제 시리즈로 대비할 수 있는 과학 대회를 정리했습니다. 이 대회들은 영재교육원 문제 유형과 유사해서 미리 영재교육원 입시를 경험할 수 있고 실력을 체크할 수 있습니다. 각 대회의 기출 문제와 영재교육원 각 단계별 기출 문제를 같이 수록했습니다.를 소개하고 기출 문제 및 출제 문제 유형을 같이 수록했습니다.

목차

안쌤의 창의적 문제해결력

파이널 50제

과학1

초등
3·4
학년

과학 사고력
01

평가 영역
■ 과학 사고력 □ 과학 창의성
□ 과학 STEAM

평가 요소
■ 개념 이해력 □ 탐구 능력
□ 유창성 □ 독창성 및 융통성
□ 문제 파악 능력 □ 문제 해결 능력

교과 영역
■ 에너지 □ 물질 □ 생명 □ 지구

난이도 ★ ★ ☆

클립 한쪽에 스티커를 붙이고 스티커를 붙인 쪽을 막대자석 N극에 2분 동안 붙여 놓았다. 2분 후 그림과 같이 클립 하나는 스타이로폼 위에 올려 물에 띄우고 다른 클립은 손으로 잡은 후 스티커 붙은 부분을 서로 가까이했을 때, 클립의 움직임을 이유와 함께 서술하시오. [8점]

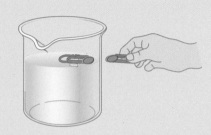

평가 영역

■ 과학 사고력　□ 과학 창의성
□ 과학 STEAM

평가 요소

□ 개념 이해력　■ 탐구 능력
□ 유창성　□ 독창성 및 융통성
□ 문제 파악 능력　□ 문제 해결 능력

교과 영역

□ 에너지　■ 물질　□ 생명　□ 지구

난이도 ★ ★ ☆

수민이는 학교에서 '액체는 담는 그릇에 따라 모양이 변하지만 고체는 담는 그릇에 따라 모양이 변하지 않는다'라고 배웠다. 그런데 설탕을 다양한 모양의 그릇에 담아 보니 그릇에 따라 모양이 변해서 설탕은 액체라고 생각했다.

❶ 수민이의 생각과 내 생각을 비교하여 설탕의 상태를 쓰고 이유를 수민이의 실험과 관련지어 서술하시오. [4점]

_____

_____

_____

_____

❷ 내 생각을 증명할 수 있는 실험을 설계하시오. [4점]

_____

_____

_____

_____

_____

_____

평가 영역
■ 과학 사고력 □ 과학 창의성
□ 과학 STEAM

평가 요소
□ 개념 이해력 ■ 탐구 능력
□ 유창성 □ 독창성 및 융통성
□ 문제 파악 능력 □ 문제 해결 능력

교과 영역
□ 에너지 □ 물질 ■ 생명 □ 지구

난이도 ★ ☆ ☆

곤충은 한살이 과정을 거치면서 성충이 될 때까지 생김새, 먹이, 움직임 등이 크게 변한다. 다음은 호랑나비와 잠자리의 한살이 과정이다. 호랑나비와 잠자리 한살이의 차이점을 비교하여 서술하시오. [8점]

호랑나비 알 → 호랑나비 애벌레 → 호랑나비 번데기 → 호랑나비 성충

잠자리 알 → 잠자리 애벌레 → 잠자리 성충

평가 영역

■ 과학 사고력   □ 과학 창의성
□ 과학 STEAM

평가 요소

■ 개념 이해력   □ 탐구 능력
□ 유창성   □ 독창성 및 융통성
□ 문제 파악 능력 □ 문제 해결 능력

교과 영역

□ 에너지 □ 물질 □ 생명 ■ 지구

난이도 ★ ★ ★

다음은 경사가 완만한 지역의 강의 모습이다. 강이 처음 형성되었을 때는 강줄기는 심하게 구부러지지 않았지만 시간이 흐를수록 구불구불한 모양으로 변한다. 강줄기가 변하는 이유를 그림과 함께 서술하시오. [8점]

과학 창의성 05

평가 영역
☐ 과학 사고력 ■ 과학 창의성
☐ 과학 STEAM

평가 요소
☐ 개념 이해력 ☐ 탐구 능력
■ 유창성 ■ 독창성 및 융통성
☐ 문제 파악 능력 ☐ 문제 해결 능력

교과 영역
■ 에너지 ☐ 물질 ☐ 생명 ☐ 지구

난이도 ★ ★ ☆

윤서는 막대자석과 바퀴, 상자와 고무밴드를 이용하여 다음과 같은 자석 자동차를 만들었다.

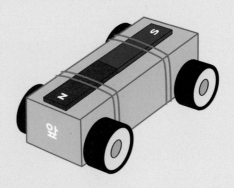

자석의 성질을 이용하여 자동차를 앞으로 나아가게 할 수 있는 방법을 세 가지 서술하시오. [10점]

❶

❷

❸

과학 창의성

06

평가 영역
☐ 과학 사고력 ■ 과학 창의성
☐ 과학 STEAM

평가 요소
☐ 개념 이해력 ☐ 탐구 능력
■ 유창성 ■ 독창성 및 융통성
☐ 문제 파악 능력 ☐ 문제 해결 능력

교과 영역
☐ 에너지 ■ 물질 ☐ 생명 ☐ 지구

난이도 ★ ☆ ☆

자전거를 이루고 있는 각 물체와 물체를 이루고 있는 물질을 다섯 가지 쓰고, 그 물질로 만들었을 때의 좋은 점을 서술하시오. [10점]

물체	물질	좋은 점

과학 창의성
07

평가 영역
□ 과학 사고력   ■ 과학 창의성
□ 과학 STEAM

평가 요소
□ 개념 이해력   □ 탐구 능력
■ 유창성   ■ 독창성 및 융통성
□ 문제 파악 능력   □ 문제 해결 능력

교과 영역
□ 에너지 □ 물질 ■ 생명 □ 지구

난이도 ★ ★ ☆

알에서 갓 나온 배추흰나비 애벌레는 노란색이지만, 애벌레가 잎을 먹기 시작하면 먹이와 같은 색으로 변한다.

일반적으로 애벌레는 날개가 없어 대부분 자기 영역 안에 머물고 활동 범위가 아주 좁다. 애벌레들이 천적에게 잡아먹히지 않기 위한 방법을 세 가지 서술하시오. [10점]

❶

❷

❸

평가 영역
□ 과학 사고력 ■ 과학 창의성
□ 과학 STEAM

평가 요소
□ 개념 이해력 □ 탐구 능력
■ 유창성 ■ 독창성 및 융통성
□ 문제 파악 능력 □ 문제 해결 능력

교과 영역
□ 에너지 □ 물질 □ 생명 ■ 지구

난이도 ★ ☆ ☆

지표를 흐르는 물은 풍화 작용에 의해 생긴 자갈이나 모래 등을 지표로부터 씻어 내려 낮은 곳으로 운반하고, 바닥의 경사가 작아져 물의 흐름이 갑자기 느려지는 곳에서 자갈이나 모래 등을 쌓는다. 다음과 같이 흙 언덕을 만들어 물을 흘려보내면서 흐르는 물이 하는 일을 알아보는 실험을 하였다.

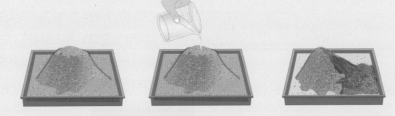

흙 언덕 모습을 많이 변화시킬 수 있는 방법을 세 가지 서술하시오. [10점]

❶

❷

❸

다음은 정보를 저장할 수 있는 마그네틱 선에 대한 내용이다.

기사

신용카드 뒷면의 검은색 띠(마그네틱 선)에는 미세한 자석 가루가 발라져 있고, 자석의 N극과 S극으로 정보를 저장한다. 마그네틱 선을 입력장치에 통과시키는 것만으로 기록되어 있는 정보를 쉽게 알 수 있어서 신용카드, 공중전화카드, 신분증, 멤버십카드 등 다양한 곳에 응용되었다. 하지만 마그네틱 카드는 정보 저장 용량이 작고 자석과 접촉하면 기록된 데이터가 변형되거나 삭제되기도 하며, 구조가 단순해서 기록된 내용을 복사하거나 변형하기도 쉬운 편이다. 이러한 단점을 보완하기 위해 IC 칩이 부착된 스마트카드가 개발되어 사용되고 있다.

▲ 마그네틱 카드   ▲ 마그네틱 선에 저장된 정보   ▲ 스마트카드

1 그림과 같이 클립을 실에 끼워 바닥에 고정하고 자석을 이용하여 클립을 공중에 띄웠다. 자석과 클립 사이에 종이와 철판을 넣었을 때 클립이 어떻게 되는지 이유와 함께 서술하시오. [6점]

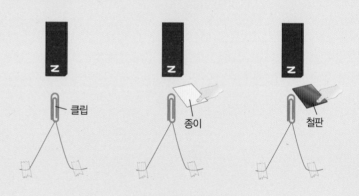

평가 영역

□ 과학 사고력   □ 과학 창의성
■ 과학 STEAM

평가 요소

□ 개념 이해력   □ 탐구 능력
□ 유창성   □ 독창성 및 융통성
□ 문제 파악 능력 ■ 문제 해결 능력

교과 영역

■ 에너지 ■ 물질 □ 생명 □ 지구

난이도 ★ ★ ★

2 현대 사회에서 마그네틱 선을 이용한 각종 카드와 컴퓨터를 많이 사용하고 있다. 그러나 마그네틱 선이 강력한 자석에 노출되거나 마그네틱 선끼리 겹쳐지면 저장된 내용이 지워지기도 한다. 각종 카드의 마그네틱 선에 저장된 정보를 안전하게 보호할 수 있는 지갑을 설계하고 원리를 서술하시오. [8점]

따뜻한 봄이 되면 산에서 돌이 굴러떨어지는 낙석이 자주 발생한다. 다음은 낙석에 관한 내용이다.

기사

3월이 되면서 날이 풀리자, 소방청에서 봄철 산행 시 낙석과 미끄럼을 주의하라는 안전 예보가 나왔다. 최근 날이 풀리면서 봄철 산행이 증가했고 낙석으로 인한 산악사고가 발생할 확률도 높아졌다. 실제로 2월부터 4월 초까지가 1년 중 낙석, 낙산사고가 가장 많이 발생하는 시기이다. 소방청은 산행 시 낙석 위험지역은 돌아서 가거나 접근하지 말고 우회하며, 응달진 곳이나 낙엽 아래, 흙길은 표면만 녹아 매우 미끄러우니 산행객들의 각별한 주의를 요하였다.

또한, 봄철 산간도로에도 낙석이 빈번히 발생하고 있으므로 운전자들의 주의가 요구된다.

평가 영역
☐ 과학 사고력 ☐ 과학 창의성
■ 과학 STEAM

평가 요소
☐ 개념 이해력 ☐ 탐구 능력
☐ 유창성 ☐ 독창성 및 융통성
■ 문제 파악 능력 ☐ 문제 해결 능력

교과 영역
☐ 에너지 ■ 물질 ☐ 생명 ■ 지구

난이도 ★ ★ ☆

1 얼음이 녹기 시작하는 봄철 해빙기 때 낙석이 많이 발생하는 이유를 서술하시오. [6점]

평가 영역
☐ 과학 사고력 ☐ 과학 창의성
■ 과학 STEAM

평가 요소
☐ 개념 이해력 ☐ 탐구 능력
☐ 유창성 ☐ 독창성 및 융통성
☐ 문제 파악 능력 ■ 문제 해결 능력

교과 영역
■ 에너지 ☐ 물질 ☐ 생명 ■ 지구

난이도 ★ ★ ★

② 2015년 3월 옥천 국도에 낙석이 떨어져 운전자들이 통행에 불편을 겪었고, 5월 21일에는 한라산 삼각봉 인근 암벽이 갑자기 무너져 탐방로 일부 구간이 전면 폐쇄되었다.

낙석으로 인한 불편과 사고를 줄이기 위한 방법을 세 가지 고안하시오.
[8점]

❶

❷

❸

안쌤의 창의적 문제해결력

파이널 50제

과학2

초등
3·4
학년

소리는 물체가 진동할 때 생기며 진동하는 정도에 따라 다른 소리가 난다. 유리컵에 물을 담고 젓가락으로 두드려 소리를 내는 악기를 만들었다. 유리컵에 물을 절반 정도 담고 젓가락으로 두드렸더니 '솔' 음이 났다.

1 '솔' 음보다 낮은 '미' 음을 만들려면 어떻게 해야 할지 서술하시오. [4점]

2 '솔' 음을 더 크게 내려면 어떻게 해야 할지 서술하시오. [4점]

과학 사고력

12

평가 영역

■ 과학 사고력　□ 과학 창의성
□ 과학 STEAM

평가 요소

□ 개념 이해력　■ 탐구 능력
□ 유창성　□ 독창성 및 융통성
□ 문제 파악 능력　□ 문제 해결 능력

교과 영역

□ 에너지　■ 물질　□ 생명　□ 지구

난이도 ★ ★ ☆

1640년 이탈리아의 토스카나에 살고 있던 한 사람은 궁전 뜰에 우물을 만들기 위해 지하 12 m까지 파서 지하수를 발견했다. 그러나 공기가 누르는 힘 때문에 지하수를 위로 올리는데 실패했다.

공기는 눈에 보이지 않지만 무게를 가지고 있는 물질이다. 공기에 무게가 있는지 알아볼 수 있는 실험 방법을 계획하고 결과를 서술하시오. [8점]

• 실험 방법

• 예상되는 결과

과학 사고력

13

평가 영역
■ 과학 사고력 □ 과학 창의성
□ 과학 STEAM

평가 요소
■ 개념 이해력 □ 탐구 능력
□ 유창성 □ 독창성 및 융통성
□ 문제 파악 능력 □ 문제 해결 능력

교과 영역
□ 에너지 □ 물질 ■ 생명 □ 지구

난이도 ★ ★ ☆

낙타는 비가 거의 내리지 않아 매우 건조하고 물과 먹이가 부족한 사막에서 사는 동물 중 하나이다. 낙타의 생김새를 관찰하고 낙타가 사막에서 살기에 유리한 점을 세 가지 서술하시오. [8점]

❶

❷

❸

과학 사고력
14

평가 영역
■ 과학 사고력   □ 과학 창의성
□ 과학 STEAM

평가 요소
■ 개념 이해력   □ 탐구 능력
□ 유창성   □ 독창성 및 융통성
□ 문제 파악 능력   □ 문제 해결 능력

교과 영역
□ 에너지   □ 물질   □ 생명   ■ 지구

난이도 ★ ★ ☆

히말라야 산맥 가운데 최고봉인 에베레스트 산은 해발고도 8848 m로 일 년 내내 눈보라와 살을 에는 추위 때문에 등산하는 사람에게는 제일 가보고 싶지만 쉽게 오르지 못하는 산이다. 세계의 지붕이라고 할 만큼 높은 에베레스트 산의 해발고도 8000 m 부근의 북쪽 지역에서 조개 화석이 많이 발견되었다. 에베레스트 산에서 조개와 암모나이트 화석이 발견되는 이유를 서술하시오. [8점]

과학 창의성

15

평가 영역
☐ 과학 사고력 ■ 과학 창의성
☐ 과학 STEAM

평가 요소
☐ 개념 이해력 ☐ 탐구 능력
■ 유창성 ■ 독창성 및 융통성
☐ 문제 파악 능력 ☐ 문제 해결 능력

교과 영역
■ 에너지 ☐ 물질 ☐ 생명 ☐ 지구

난이도 ★ ★ ☆

소음이 학생들의 학습 능력에 어떤 영향을 미치는지 확인하는 실험을 한 결과, 소리가 65 dB 이상이 되면 반응 속도, 주의력, 기억력 등이 5~15 % 정도 떨어지는 것으로 나타났다. 학교 주변의 소음이 학교에 미치는 영향을 줄이기 위한 방안을 세 가지 서술하시오. [10점]

❶

❷

❸

과학 창의성

16

평가 영역

□ 과학 사고력 ■ 과학 창의성
□ 과학 STEAM

평가 요소

□ 개념 이해력 □ 탐구 능력
■ 유창성 ■ 독창성 및 융통성
□ 문제 파악 능력 □ 문제 해결 능력

교과 영역

□ 에너지 ■ 물질 □ 생명 □ 지구

난이도 ★ ★ ★

고무풍선을 페트병에 끼우고 힘껏 불면 고무풍선이 불어지지 않는다. 고무풍선을 불 수 있는 방법을 세 가지 서술하시오. [10점]

①

②

③

평가 영역

□ 과학 사고력 ■ 과학 창의성
□ 과학 STEAM

평가 요소

□ 개념 이해력 □ 탐구 능력
■ 유창성 ■ 독창성 및 융통성
□ 문제 파악 능력 □ 문제 해결 능력

교과 영역

□ 에너지 □ 물질 ■ 생명 □ 지구

난이도 ★ ★ ☆

올챙이는 물속에서만 생활할 수 있지만 개구리가 되면 물과 육지 양쪽에서 생활할 수 있다. 만약 물에 사는 물고기가 땅에서 생활해야 한다면 물고기에 어떤 변화가 생겨야 하는지 이유와 함께 세 가지 서술하시오. [10점]

①

②

③

평가 영역

☐ 과학 사고력   ■ 과학 창의성
☐ 과학 STEAM

평가 요소

☐ 개념 이해력   ☐ 탐구 능력
■ 유창성   ■ 독창성 및 융통성
☐ 문제 파악 능력   ☐ 문제 해결 능력

교과 영역

☐ 에너지   ☐ 물질   ☐ 생명   ■ 지구

난이도 ★ ★ ☆

예전에 살았던 생물이 모두 화석이 되는 것은 아니다. 생물이 화석이 되기
위한 조건을 세 가지 서술하시오. [10점]

①

②

③

소음은 새로운 환경 오염이기 때문에 대처 방법에 대한 연구가 아직 미미하다. 다음은 층간 소음에 대한 내용이다.

기사

겨울철이 되면서 이미 심각한 사회문제가 된 층간 소음에 대한 우려가 더욱 커지고 있다. 지난해 한국환경공단의 '이웃사이센터'에 접수된 상담 건수가 8~9월에는 1,000건 미만이던 것이 12월엔 1,800건을 넘는 것에서 보듯, 문을 닫고 지내는 겨울에는 층간 소음이 한층 심해질 수밖에 없다. 계절적 요인과 상관없이 층간 소음에 따른 민원과 분쟁도 매년 증가하는 추세다. 이웃사이센터가 문을 연 2012년 7,021건이던 상담 건수가 2013년에는 1만 5,455건으로 늘어났고 올해 들어서는 7월까지만 해도 1만 835건에 이르렀다. 여기서도 해결이 안 돼 환경부와 지자체의 환경분쟁조정위원회에 들어온 재정 신청도 늘어나고 있다.

평가 영역
- ☐ 과학 사고력 ☐ 과학 창의성
- ■ 과학 STEAM

평가 요소
- ☐ 개념 이해력 ☐ 탐구 능력
- ☐ 유창성 ☐ 독창성 및 융통성
- ■ 문제 파악 능력 ☐ 문제 해결 능력

교과 영역
- ■ 에너지 ■ 물질 ☐ 생명 ☐ 지구

난이도 ★ ☆ ☆

1 매년 층간 소음 상담 건수가 증가하는 이유를 추리하여 두 가지 서술하시오. [6점]

①

②

2 공동주택의 층간 소음은 예전부터 문제되어 왔다. 새로 지어지는 공동주택은 정부에서 정한 기준에 따라 바닥 공사를 진행하여 층간소음을 줄이도록 하였고 환경부에서는 층간 소음 분쟁 조정을 위한 소음 기준을 마련하기도 하였다. 이러한 행정적 통제 이외에 공동주택의 층간 소음을 슬기롭게 해결할 수 있는 방안을 세 가지 고안하여 원리와 함께 서술하시오. [8점]

①

②

③

다음은 경상남도 하동에서 발견된 티라노사우루스류 공룡 화석에 대한 내용이다.

기사

중생대 한국에도 티라노사우루스류의 공룡이 존재했을까? 지금까지 완벽한 형태의 화석이 발견되지 않아 확증은 힘들지만, 지금까지 발견된 이빨, 다리뼈, 갈비뼈, 발자국 등을 통해 한반도 남부 지방은 티라노사우루스류 공룡이 거닐던 지역으로 추정만 되었다.

2014년 11월 경남 하동군 금성면 가덕리에서 보존 상태가 양호한 초소형 육식공룡 골격 화석이 두개골과 아래턱까지 포함된 형태로 발견되었다. 화석이 발견된 지층은 1억 1000만~1억 2000만년 전 중생대 백악기 전기인 것으로 알려졌다. 해당 화석의 공룡은 몸 전체 길이가 28 cm인 초소형이다. 작은 공룡은 화석화되기 어려워 초소형 공룡의 화석은 세계적으로도 굉장히 희귀한 경우이다.

1 옛날에 살았던 생물이 화석이 되어 발견되기까지의 과정을 서술하시오. [6점]

2 경상남도 고성 공룡 화석지는 세계 최대 규모의 발자국 산지로 총 3800여 개의 공룡 발자국이 발견된다. 이 외에 공룡 알 화석, 새 발자국 화석, 생흔 화석들도 관찰된다. 발자국 화석을 관찰하는 것으로도 공룡에 대해 많은 것을 알 수 있다. 공룡 발자국 화석으로 알 수 있는 공룡의 특징을 세 가지 서술하시오. [8점]

1

2

3

안쌤의 창의적 문제해결력

파이널 50제

과학 3

초등
3 · 4
학년

과학 사고력

21

평가 영역
■ 과학 사고력 □ 과학 창의성
□ 과학 STEAM

평가 요소
■ 개념 이해력 □ 탐구 능력
□ 유창성 □ 독창성 및 융통성
□ 문제 파악 능력 □ 문제 해결 능력

교과 영역
■ 에너지 □ 물질 □ 생명 □ 지구

난이도 ★ ★ ☆

용수철에 추를 매달았을 때 용수철의 길이가 다음 결과와 같았다. 물체 A를 용수철에 매달았더니 용추철의 길이가 11 cm였다. 물체 A의 무게를 풀이 과정과 함께 구하시오. [8점]

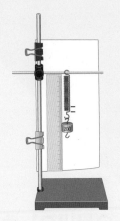

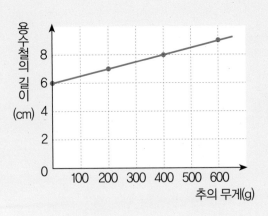

평가 영역

■ 과학 사고력　□ 과학 창의성
□ 과학 STEAM

평가 요소

□ 개념 이해력　■ 탐구 능력
□ 유창성　□ 독창성 및 융통성
□ 문제 파악 능력 □ 문제 해결 능력

교과 영역

□ 에너지 ■ 물질 □ 생명 □ 지구

난이도 ★ ★ ★

과학 **3** 강

크기가 다른 콩, 팥, 좁쌀이 섞인 혼합물을 종이컵 한 개와 송곳으로 분리하려고 한다. 콩, 팥, 좁쌀 혼합물을 분리할 수 있는 방법을 설계하시오. [8점]

과학 사고력
23

평가 영역

■ 과학 사고력 □ 과학 창의성
□ 과학 STEAM

평가 요소

□ 개념 이해력 ■ 탐구 능력
□ 유창성 □ 독창성 및 융통성
□ 문제 파악 능력 □ 문제 해결 능력

교과 영역

□ 에너지 □ 물질 ■ 생명 □ 지구

난이도 ★ ★ ☆

사막은 모래나 바위, 돌로 덮여 있어 풀조차 구경하기 쉽지 않은 곳이며, 전체 육지의 10 %를 차지한다.

1 사막에서 식물이 자라기 힘든 이유를 서술하시오. [3점]

2 강낭콩씨를 이용하여 사막에서 식물이 자라기 힘든 이유를 확인할 수 있는 실험을 설계하시오. [5점]

과학 사고력

24

평가 영역

■ 과학 사고력 □ 과학 창의성
□ 과학 STEAM

평가 요소

■ 개념 이해력 □ 탐구 능력
□ 유창성 □ 독창성 및 융통성
□ 문제 파악 능력 □ 문제 해결 능력

교과 영역

□ 에너지 □ 물질 □ 생명 ■ 지구

난이도 ★ ★ ☆

다음은 이탈리아의 폼페이 지역에서 발견된 것으로 사람의 형태가 그대로 남아 있다. 폼페이는 약 2,000년 전 베수비오 화산 폭발로 사라진 도시이다. 화산 폭발로 인해 사람의 형태가 그대로 남아 있을 수 있었던 이유를 추리하여 서술하시오. [8점]

과학 창의성
25

평가 영역
☐ 과학 사고력 ■ 과학 창의성
☐ 과학 STEAM

평가 요소
☐ 개념 이해력 ☐ 탐구 능력
■ 유창성 ■ 독창성 및 융통성
☐ 문제 파악 능력 ☐ 문제 해결 능력

교과 영역
■ 에너지 ☐ 물질 ☐ 생명 ☐ 지구

난이도 ★ ★ ☆

대저울은 조선시대 후기에 널리 사용된 저울로 대에는 눈금이 새겨져 있고 대의 양 끝에는 접시와 추가 대의 중간에는 손잡이가 매달려 있다. 먼저 수평을 이룬 접시에 무게를 측정하고자 하는 물체를 올리고 추의 위치를 옮겨 대가 수평을 이룰 때, 추의 무게와 대의 눈금을 따져 무게를 측정한다.

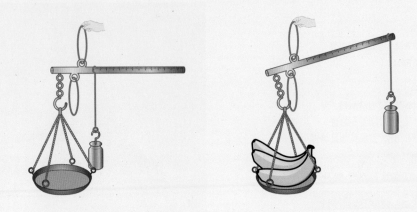

채연이가 가지고 있는 대저울의 대는 50 cm, 추는 50 g이고 대의 한쪽 끝에서 10 cm 지점에 손잡이가 달려 있다. 채연이는 이 저울로 바나나 뭉치의 무게를 측정하려고 했지만 대가 수평을 이루지 않아 측정할 수 없었다. 채연이의 대저울로 바나나 뭉치의 무게를 측정할 수 있는 방법을 두 가지 서술하시오. [10점]

❶

❷

과학 창의성

26

평가 영역
□ 과학 사고력 ■ 과학 창의성
□ 과학 STEAM

평가 요소
□ 개념 이해력 □ 탐구 능력
■ 유창성 ■ 독창성 및 융통성
□ 문제 파악 능력 □ 문제 해결 능력

교과 영역
□ 에너지 ■ 물질 □ 생명 □ 지구

난이도 ★ ★ ☆

과학 3강

미세먼지는 우리 눈에 보이지 않는 아주 작은 물질로 대기 중에 오랫동안 떠다니거나 흩날려 내려오는 지름 10 μm(마이크로미터, 1 μm=0.001 mm) 이하의 작은 물질이며, 초미세먼지는 지름 2.5 μm 이하의 매우 작은 물질이다. 미세먼지 예보가 '약간 나쁨', '나쁨', '매우 나쁨'이 되면 사람들은 실외 활동을 자제하거나 외출할 때는 특수 마스크를 착용하는 것이 좋다. 초미세먼지까지 걸러낼 수 있는 특수 마스크는 일반 마스크에 비해 어떤 기능을 더 추가해야 하는지 원리와 함께 두 가지 서술하시오. [10점]

❶

❷

과학 창의성

27

평가 영역
☐ 과학 사고력 ■ 과학 창의성
☐ 과학 STEAM

평가 요소
☐ 개념 이해력 ☐ 탐구 능력
■ 유창성 ■ 독창성 및 융통성
☐ 문제 파악 능력 ☐ 문제 해결 능력

교과 영역
☐ 에너지 ☐ 물질 ■ 생명 ☐ 지구

난이도 ★ ★ ☆

씨가 싹트고 자라서 꽃 피고 열매 맺는 과정을 한살이라고 한다. 1년만 사는 대부분 풀과 같은 식물을 한해살이 식물이라 하고 대부분 나무와 같이 2년 이상 사는 식물을 여러해살이 식물이라고 한다. 한해살이 식물은 추운 겨울이 오기 전에 자손인 씨를 아주 많이 남기고 죽는다. 반면 여러해살이 식물은 추운 겨울을 보내야 한다. 여러해살이 식물이 추운 겨울 동안 죽지 않고 추위를 이겨 내는 방법을 세 가지 서술하시오. [10점]

▲ 비비추   ▲ 아까시나무

❶

❷

❸

과학 창의성
28

평가 영역
☐ 과학 사고력 ■ 과학 창의성
☐ 과학 STEAM

평가 요소
☐ 개념 이해력 ☐ 탐구 능력
■ 유창성 ☐ 독창성 및 융통성
☐ 문제 파악 능력 ☐ 문제 해결 능력

교과 영역
☐ 에너지 ☐ 물질 ☐ 생명 ■ 지구

난이도 ★ ★ ☆

2015년 4월 네팔에서 참혹한 재앙이 발생했다. 규모 7.9의 강진과 10시간 가까이 연속적으로 발생한 60여 차례의 여진으로 지금까지 8500명 이상이 사망하고 1만 명 넘게 부상을 당한 것으로 알려졌다. 땅 속의 거대한 암석이 부서지면서 그 충격으로 땅이 흔들리는 자연 현상인 지진은 때로는 엄청난 재앙을 일으킨다. 지진의 피해를 줄일 수 있는 방법을 지진이 발생하기 전, 발생했을 때, 발생한 후로 나누어서 세 가지씩 서술하시오. [10점]

• 지진이 발생하기 전

①

②

③

• 지진이 발생했을 때

①

②

③

• 지진이 발생한 후

①

②

③

과학 STEAM

29

평가 영역

□ 과학 사고력 □ 과학 창의성

■ 과학 STEAM

평가 요소

□ 개념 이해력 □ 탐구 능력

□ 유창성 □ 독창성 및 융통성

■ 문제 파악 능력 □ 문제 해결 능력

교과 영역

■ 에너지 □ 물질 □ 생명 ■ 지구

난이도 ★ ★ ★

다음은 중력에 관한 내용이다.

기사

지상에 작용하는 중력은 지구 전체의 질량에 의해 생긴다. 그러므로 지구 표면에서는 어디를 가더라도 무중력인 곳이 없다. 우주선을 타고 지구를 떠나면 무중력인 곳까지 갈 수 있다. 지구로부터 약 2640 km 밖으로 나가면 중력이 지표면의 절반으로 줄어든다. 계속 여행하여 지상 57400 km에 이르면 지구 중력의 1 % 밖에 되지 않으며 그 이상 나가면 무중력 공간이다. 주위에 행성이나 별과 같은 물체가 없는 우주 한복판에서는 물체가 힘을 받지 않으므로 무중력 상태가 된다. 우주정거장은 중력이 0인 지상 약 60000 km의 높이의 궤도에 설치되어 있다.

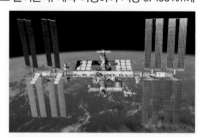

1 지구에서 무중력이 되는 곳은 지구 중심이라고 한다. 그 이유를 서술하시오. [6점]

과학 3강

❷ 우주정거장에서는 지구 중력의 약 1백만 분의 1인 마이크로 중력을 가지며, 이러한 상태를 무중량 상태(무중력 상태)라고 한다. 우주정 거장에서는 중력이 작용하지 않기 때문에 용수철저울을 이용하여 물체의 질량을 측정하거나 비교할 수 없다. 우주정거장에서 물체의 질량을 비교할 수 있는 방법을 두 가지 서술하시오. [8점]

❶

_____

_____

❷

_____

_____

_____

_____

_____

_____

_____

_____

과학 STEAM
30

다음은 2007년 12월 7일 태안에서 일어난 기름 유출 사고에 대한 기사이다.

기사

2007년 12월 7일 오전 7시경 충남 태안군 만리포 해수욕장 북서쪽 8 km 해상에서 인천대교 공사에 투입된 해상크레인을 2척의 바지선으로 예인하던 중 바지선의 와이어가 끊어져 크레인이 유조선과 충돌하였다. 이 충돌로 인해 유조선에 구멍이 생겼고 총 1만 2547 kL의 원유가 유출되었다. 유출된 기름은 사고 당일 근처 해수욕장으로 흘러 들어갔고, 한 달 후에는 전라남도 해남과 제주도의 추자도까지 퍼졌다. 사고 발생 후 방제정은 파도와 강풍 때문에 제 역할을 하지 못했고 오일펜스 또한 제때 설치하지 못하는 등 초기 대응에 실패하여 오염이 더욱 확산되었다. 9천여 명 가까이 되는 많은 인원이 기름 제거 자원봉사에 투입되어 기름을 제거했지만 태안군의 양식장, 어장 등 8천만 m² 이 원유에 오염되었다.

평가 영역
☐ 과학 사고력 ☐ 과학 창의성
■ 과학 STEAM

평가 요소
☐ 개념 이해력 ☐ 탐구 능력
☐ 유창성 ☐ 독창성 및 융통성
■ 문제 파악 능력 ☐ 문제 해결 능력

교과 영역
☐ 에너지 ■ 물질 ☐ 생명 ☐ 지구

난이도 ★ ★ ☆

1 태안 기름 유출 사고는 초기에 파도가 심하여 빠른 대처를 하지 못했고 원유가 오일펜스를 넘어가 피해가 커졌다. 기름 유출 사고 시 가장 먼저 오일 펜스를 설치하는 이유를 서술하시오. [6점]

평가 영역
■ 과학 사고력 □ 과학 창의성
□ 과학 STEAM

평가 요소
□ 개념 이해력 □ 탐구 능력
□ 유창성 □ 독창성 및 융통성
□ 문제 파악 능력 ■ 문제 해결 능력

교과 영역
□ 에너지 ■ 물질 ■ 생명 □ 지구

난이도 ★ ★ ☆

2 기름 유출 사고가 일어났을 경우 바다에 유출된 기름을 처리하는 방법을 다섯 가지 서술하시오. [8점]

① _____

② _____

③ _____

④ _____

⑤ _____

안쌤의 창의적 문제해결력

파이널 50제
과학4

초등
3 · 4
학년

평가 영역

■ 과학 사고력 □ 과학 창의성
□ 과학 STEAM

평가 요소

■ 개념 이해력 □ 탐구 능력
□ 유창성 □ 독창성 및 융통성
□ 문제 파악 능력 □ 문제 해결 능력

교과 영역

■ 에너지 □ 물질 □ 생명 □ 지구

난이도 ★ ☆ ☆

태조 이성계가 창건한 조선 왕조 제일의 법궁인 경복궁에는 외국 사신을 접견하고 나라의 경사가 있을 때마다 연회를 베풀던 경회루가 있다. 경회루는 인공연못에 위치한 2층으로 된 누각으로, 경회루 안에서 보는 북악산 일대의 경치는 최고로 평가받고 있다. 잔잔한 호수면에 비추어진 경회루의 모습은 거울에 비친 모습처럼 잘 보이지만 물결이 치는 호수면에 비추어진 경회루는 잘 보이지 않는다. 그 이유를 서술하시오. [8점]

평가 영역
■ 과학 사고력 □ 과학 창의성
□ 과학 STEAM

평가 요소
□ 개념 이해력 ■ 탐구 능력
□ 유창성 □ 독창성 및 융통성
□ 문제 파악 능력 □ 문제 해결 능력

교과 영역
□ 에너지 ■ 물질 □ 생명 □ 지구

난이도 ★ ★ ★

과학
4
강

극지방이나 높은 산 등 추운 곳에서 내린 눈이 오랜 세월 동안 녹지 않고 쌓여 만들어진 거대한 얼음덩어리를 빙하라고 한다. 커다란 빙하가 무게를 이기지 못하여 쓰러져 바다로 떠내려가면 빙산이 된다. 얼음덩어리인 빙산의 대부분은 바닷물 속에 잠겨 있지만 일부는 수면 위에 조금 보인다.

▲ 빙하

▲ 빙산

1 빙산의 일부가 물에 떠 있는 이유를 서술하시오. [3점]

2 빙산의 일부가 물에 떠 있는 이유를 확인할 수 있는 실험을 설계하시오. [5점]

평가 영역
■ 과학 사고력 □ 과학 창의성
□ 과학 STEAM

평가 요소
□ 개념 이해력 ■ 탐구 능력
□ 유창성 □ 독창성 및 융통성
□ 문제 파악 능력 □ 문제 해결 능력

교과 영역
□ 에너지 □ 물질 ■ 생명 □ 지구

난이도 ★ ★ ☆

다음 사진의 개구리밥, 생이가래, 부레옥잠, 물배추는 물 위에 떠서 사는 식물이다. 이 식물들이 물 위에서 살기 위해 적응한 방법을 세 가지 서술하시오.
[8점]

▲ 개구리밥   ▲ 생이가래

▲ 부레옥잠   ▲ 물배추

❶

❷

❸

과학 사고력

34

평가 영역

■ 과학 사고력 □ 과학 창의성
□ 과학 STEAM

평가 요소

■ 개념 이해력 □ 탐구 능력
□ 유창성 □ 독창성 및 융통성
□ 문제 파악 능력 □ 문제 해결 능력

교과 영역

□ 에너지 □ 물질 □ 생명 ■ 지구

난이도 ★ ★ ☆

1950년대 미국과 구 소련 간 달 탐사 경쟁이 일어났고, 미국의 아폴로 계획으로 인간은 달에 첫발을 남기게 되었다. 2009년부터 비행 중인 달 탐사선 '루나 리코에이슨스 오비터'가 촬영한 사진에는 1972년 아폴로 17호의 착륙 흔적, 달 표면을 밟은 마지막 우주인의 발자국, 작업차 이동 흔적이 그대로 남아있었다. 1972년의 흔적이 달에 그대로 남아 있는 이유를 서술하시오. [8점]

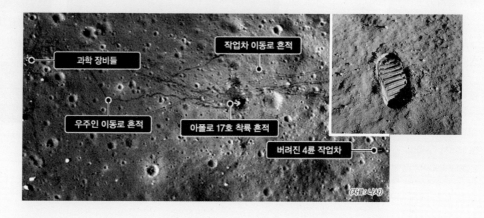

평가 영역
□ 과학 사고력 ■ 과학 창의성
□ 과학 STEAM

평가 요소
□ 개념 이해력 □ 탐구 능력
■ 유창성 ■ 독창성 및 융통성
□ 문제 파악 능력 □ 문제 해결 능력

교과 영역
■ 에너지 □ 물질 □ 생명 □ 지구

난이도 ★ ★ ☆

그림자 연극은 그림자를 이용한 극 진행 기법으로, 최근 유럽에서 큰 인기를 얻고 있다. 전등 대신에 햇빛을 이용하여 그림자 연극을 한다면 전등 아래에서 할 때와 어떤 차이점이 있는지 세 가지 서술하시오. [10점]

①

②

③

과학 창의성
36

평가 영역
☐ 과학 사고력 ■ 과학 창의성
☐ 과학 STEAM

평가 요소
☐ 개념 이해력 ☐ 탐구 능력
■ 유창성 ■ 독창성 및 융통성
☐ 문제 파악 능력 ☐ 문제 해결 능력

교과 영역
☐ 에너지 ■ 물질 ☐ 생명 ☐ 지구

난이도 ★ ★ ☆

물이 주위로부터 에너지를 얻으면 기체인 수증기가 되며, 액체의 표면에서 액체 상태의 분자가 기체 상태로 변하는 현상을 증발이라고 한다. 세탁한 옷이 마르고 땀이 마르는 것도 증발의 예이다. 비 오는 날 세탁한 옷을 실내에서 말릴 때 빨리 말릴 수 있는 방법 다섯 가지를 이유와 함께 서술하시오. [10점]

① _____

_____

② _____

_____

③ _____

_____

④ _____

_____

⑤ _____

_____

_____

과학 창의성

37

평가 영역

☐ 과학 사고력　■ 과학 창의성

☐ 과학 STEAM

평가 요소

☐ 개념 이해력　☐ 탐구 능력

■ 유창성　■ 독창성 및 융통성

☐ 문제 파악 능력　☐ 문제 해결 능력

교과 영역

☐ 에너지　☐ 물질　■ 생명　☐ 지구

난이도 ★ ★ ☆

장미는 천적으로부터 자신을 보호하기 위해 줄기의 일부를 가시로 만든다. 식물은 움직일 수가 없기 때문에 다양한 방법으로 적이나 해충으로부터 자신을 보호한다. 식물이 자신을 보호하는 방법을 다섯 가지 서술하시오. [10점]

①

②

③

④

⑤

과학 창의성

38

평가 영역

☐ 과학 사고력 ■ 과학 창의성
☐ 과학 STEAM

평가 요소

☐ 개념 이해력 ☐ 탐구 능력
■ 유창성 ■ 독창성 및 융통성
☐ 문제 파악 능력 ☐ 문제 해결 능력

교과 영역

☐ 에너지 ☐ 물질 ☐ 생명 ■ 지구

난이도 ★ ★ ☆

과학 **4**강

인공위성의 사진을 보면 지구가 둥글다는 것을 알 수 있다. 그러나 바빌로니아, 이집트, 그리스의 고대인들은 지구가 납작한 평면 또는 접시 모양이라고 생각했다. 지구가 둥근 모양인 증거를 세 가지 서술하시오. [10점]

❶

❷

❸

평가 영역
☐ 과학 사고력   ☐ 과학 창의성
■ 과학 STEAM

평가 요소
☐ 개념 이해력   ☐ 탐구 능력
☐ 유창성   ☐ 독창성 및 융통성
■ 문제 파악 능력   ☐ 문제 해결 능력

교과 영역
■ 에너지   ☐ 물질   ☐ 생명   ☐ 지구

난이도 ★ ★ ☆

다음은 투명 망토에 대한 내용이다.

기사

소설과 영화 속의 해리 포터는 투명 망토를 이용해 사람들의 눈에 띄지 않고 호그와트의 구석구석을 누비고 다닌다. 투명인간은 존재할 수 없지만, 영화 해리 포터에 나오는 투명망토처럼 사물을 보이지 않게는 할 수 있다. 망토를 몸에 두르자 몸의 일부가 사라진다.

투명 망토는 '메타물질'로 만든다. 물체를 '메타물질'로 감싸면 빛이 물체에 부딪히지 않고 물체를 피해 그 주변으로 흘러 넘어가므로 우리 눈에는 물체가 보이지 않는다. 정확히 말하면 투명망토는 물체가 사라지게 하는 것이 아니라 우리 눈에 보이지 않게 만든다.

1 사람이 물체를 볼 수 있는 이유를 서술하시오. [6점]

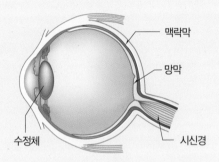

평가 영역
□ 과학 사고력 □ 과학 창의성
■ 과학 STEAM

평가 요소
□ 개념 이해력 □ 탐구 능력
□ 유창성 □ 독창성 및 융통성
□ 문제 파악 능력 ■ 문제 해결 능력

교과 영역
■ 에너지 ■ 물질 □ 생명 □ 지구

난이도 ★ ★ ★

2 스텔스기는 항공기나 미사일을 제작할 때, 항공기나 미사일이 적의 레이더에 탐지되지 않도록 하는 스텔스 기술을 이용한 최첨단 전투기이다. 스텔스기에 적용된 과학 원리를 세 가지 서술하시오. [8점]

❶ _____

_____

❷ _____

_____

❸ _____

_____

_____

_____

_____

_____

'자연은 최고의 스승이다'란 말처럼 자연을 관찰하고 모방하려는 노력은 오래 전부터 이어져 오고 있다. 다음은 연잎 효과에 대한 내용이다.

새벽안개가 걷힐 무렵 연못 위에 떠 있는 연잎 위에 작은 물방울들이 투명하게 빛나며 동글동글 맺혀 있다. 실바람이라도 불면 작은 물방울들이 조금씩 굴러다니며 이내 큰 물방울을 만들고, 연잎 위에 묻어있는 미세한 먼지를 닦아내며 연못으로 떨어진다(자기 세정 효과).

과학자들은 연잎 표면에 어떤 비밀이 숨어있는지 알아내고, 그 결과를 실생활에 응용하기 시작했다. 흔히 물과 친하게 잘 섞이는 성질을 친수성, 반대로 물과 친하지 않은 성질을 소수성이라고 부른다. 연잎 표면은 자연계 어떤 물질보다 소수성이 강하기 때문에 '초소수성'을 지닌다. 전자현미경을 이용해 표면을 나노미터 (nm, 1 nm=1/10억 m) 수준으로 관찰한 결과 초소수성의 비밀이 드러났다.

평가 영역

☐ 과학 사고력 ☐ 과학 창의성
■ 과학 STEAM

평가 요소

☐ 개념 이해력 ☐ 탐구 능력
☐ 유창성 ☐ 독창성 및 융통성
■ 문제 파악 능력 ☐ 문제 해결 능력

교과 영역

☐ 에너지 ■ 물질 ■ 생명 ☐ 지구

난이도 ★ ★ ★

1 전자현미경을 이용해 표면을 나노미터(nm, 1 nm=1/10억 m) 수준으로 관찰한 결과 연잎의 표면에는 무수히 많은 아주 작은 미세한 돌기들이 퍼져 있었다. 미세한 돌기가 연잎을 초소수성으로 만드는 이유를 추리하여 서술하시오. [6점]

평가 영역
☐ 과학 사고력 ☐ 과학 창의성
■ 과학 STEAM

평가 요소
☐ 개념 이해력 ☐ 탐구 능력
☐ 유창성 ☐ 독창성 및 융통성
☐ 문제 파악 능력 ■ 문제 해결 능력

교과 영역
☐ 에너지 ■ 물질 ■ 생명 ☐ 지구

난이도 ★ ★ ☆

2 연잎은 나노 스케일의 미세한 돌기를 가지고 있어 초소수성 및 자기 세정 효과까지 있으며 방수가 된다는 가장 큰 특징을 가지고 있다. 물과 친하지 않은 성질을 가진 연잎 효과를 활용할 수 있는 방법을 다섯 가지 서술하시오. [8점]

1 _____

2 _____

3 _____

4 _____

5 _____

안쌤의 창의적 문제해결력

파이널 50제
과학5

초등
3·4
학년

평가 영역

■ 과학 사고력 □ 과학 창의성
□ 과학 STEAM

평가 요소

■ 개념 이해력 □ 탐구 능력
□ 유창성 □ 독창성 및 융통성
□ 문제 파악 능력 □ 문제 해결 능력

교과 영역

■ 에너지 □ 물질 □ 생명 □ 지구

난이도 ★ ★ ★

당근을 실로 묶어 어느 쪽으로도 치우치지 않는 수평이 되는 지점을 찾아 표시한 뒤 표시된 부분을 칼로 잘라 무게를 재어 보았다. 양쪽의 무게를 비교하여 서술하시오. [8점]

과학 사고력

42

평가 영역
■ 과학 사고력 □ 과학 창의성
□ 과학 STEAM

평가 요소
■ 개념 이해력 □ 탐구 능력
□ 유창성 □ 독창성 및 융통성
□ 문제 파악 능력 □ 문제 해결 능력

교과 영역
□ 에너지 ■ 물질 □ 생명 □ 지구

난이도 ★ ★ ☆

아프리카에 위치한 차드나 에티오피아의 사막 지역은 기온이 40 ℃를 웃도는 무더운 곳이다. 이곳은 물뿐만 아니라 전기도 귀해 냉장고를 사용하기 어려우므로 힘들게 수확한 농작물들이 금방 상해 버린다. 팟인팟 쿨러는 수확한 농작물들을 오랫동안 보관할 수 있는 무(無)전기냉장고이다. 항아리 두 개를 겹치고 그 사이에 모래를 채운 후 물을 붓고 젖은 천을 덮어 사용하는 팟인팟 쿨러가 농작물을 시원하게 보관할 수 있는 원리를 추리하여 서술하시오. [8점]

젖은 헝겊   물
큰 항아리
모래
작은 항아리   저장할 음식

과학 사고력

43

평가 영역
■ 과학 사고력　□ 과학 창의성
□ 과학 STEAM

평가 요소
□ 개념 이해력　■ 탐구 능력
□ 유창성　□ 독창성 및 융통성
□ 문제 파악 능력　□ 문제 해결 능력

교과 영역
□ 에너지　□ 물질　■ 생명　□ 지구

난이도 ★ ★ ☆

장수풍뎅이, 사마귀, 잠자리, 배추흰나비는 곤충에 속하지만 거미는 곤충에 속하지 않는다. 잠자리와 거미 사진을 바탕으로 거미가 곤충이 아닌 이유를 세 가지 서술하시오. [8점]

▲ 잠자리

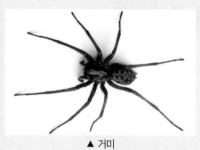
▲ 거미

①

②

③

과학 사고력

평가 영역

■ 과학 사고력　□ 과학 창의성
□ 과학 STEAM

평가 요소

□ 개념 이해력　■ 탐구 능력
□ 유창성　□ 독창성 및 융통성
□ 문제 파악 능력　□ 문제 해결 능력

교과 영역

□ 에너지　□ 물질　□ 생명　■ 지구

난이도 ★ ☆ ☆

다음 두 가지 종류의 흙 중 하나를 선택하여 강낭콩씨를 심으려고 한다.

▲ 흙 A

▲ 흙 B

1 씨앗을 심기 좋은 흙의 조건을 한 가지 서술하시오. [4점]

2 **1**에서 생각한 조건에 맞는 흙을 찾기 위한 실험을 계획하시오. [4점]

• 같게 할 것 :

• 다르게 할 것 :

• 실험 방법

평가 영역
□ 과학 사고력   ■ 과학 창의성
□ 과학 STEAM

평가 요소
□ 개념 이해력   □ 탐구 능력
■ 유창성   ■ 독창성 및 융통성
□ 문제 파악 능력   □ 문제 해결 능력

교과 영역
■ 에너지 □ 물질 □ 생명 □ 지구

난이도 ★ ☆ ☆

자석으로 클립을 같은 방향으로 문지르면 클립이 자석의 성질을 갖게 된다. 이처럼 자석이 아닌 물체가 자석의 성질을 갖게 되는 것을 '자화'라고 한다. 자화된 물체는 시간이 지나면 자석의 성질이 약해진다. 자화된 물체가 자석의 성질을 오랫동안 유지할 수 있는 방법을 세 가지 서술하시오. [8점]

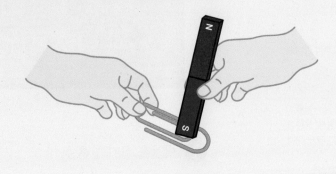

❶

❷

❸

과학 창의성
46

평가 영역
☐ 과학 사고력 ■ 과학 창의성
☐ 과학 STEAM

평가 요소
☐ 개념 이해력 ☐ 탐구 능력
■ 유창성 ■ 독창성 및 융통성
☐ 문제 파악 능력 ☐ 문제 해결 능력

교과 영역
☐ 에너지 ■ 물질 ☐ 생명 ☐ 지구

난이도 ★ ★ ☆

지구를 둘러싸고 있는 공기를 대기라 하고, 공기는 무게를 가지고 있기 때문에 아래로 누르는 힘이 발생한다. 이를 대기압 또는 기압이라고 한다. 진공펌프에 풍선을 넣고 공기를 빼면 공기의 양이 적어져 공기가 누르는 힘이 작아지기 때문에 풍선이 커진다. 이처럼 공기가 무게를 가지고 있기 때문에 나타나는 현상을 세 가지 서술하시오. [10점]

▲ 공기를 빼기 전

▲ 공기를 빼고 난 후

❶

❷

❸

평가 영역
□ 과학 사고력　■ 과학 창의성
□ 과학 STEAM

평가 요소
□ 개념 이해력　□ 탐구 능력
■ 유창성　■ 독창성 및 융통성
□ 문제 파악 능력 □ 문제 해결 능력

교과 영역
□ 에너지 □ 물질 ■ 생명 □ 지구

난이도 ★ ☆ ☆

식물이 자라는 데 햇빛이 필요한지 알아보기 위하여 비슷한 크기로 자란 화분 두 개를 준비하여 하나는 햇빛 차단 장치를 씌우고 다른 하나는 씌우지 않고 햇빛이 잘 비치는 창가에 두었다.

햇빛
차단장치

일주일 동안 키우면서 식물이 자라는 과정을 기록하려고 한다. 잎, 줄기, 꽃, 열매의 자람 정도를 비교할 수 있는 방법을 두 가지씩 서술하시오. [10점]

· 잎

❶

❷

· 줄기

❶

❷

· 꽃과 열매

❶

❷

평가 영역
☐ 과학 사고력 ■ 과학 창의성
☐ 과학 STEAM

평가 요소
☐ 개념 이해력 ☐ 탐구 능력
■ 유창성 ■ 독창성 및 융통성
☐ 문제 파악 능력 ☐ 문제 해결 능력

교과 영역
☐ 에너지 ☐ 물질 ☐ 생명 ■ 지구

난이도 ★ ★ ☆

다음은 화산 활동이 진행되고 있는 지역의 모습이다. 화산 활동으로 인해 산불이 일어나고 집이 부서지고 농경지가 용암이나 화산재에 묻히는 등 큰 피해를 일으키기도 하지만 잘 이용하면 이로운 점도 있다. 화산활동이 일어나는 지역을 유용한 환경으로 활용할 수 있는 방법을 세 가지 서술하시오. [6점]

❶

❷

❸

다음은 제주도 바다 속에서 발견된 해저 분화구에 대한 기사이다.

기사

서귀포시 표선항 남동쪽 4 km 부근 해역에서 해저 분화구가 발견되었다. 규모는 남북방향 약 660 m, 동서방향 약 430 m에 달하며, 축구장의 16.5배의 거대한 웅덩이 형태로 최고 깊은 곳은 약 64 m이다. 해저 분화구는 제주도 성산일출봉과 비슷한 형태로 14만 년 전쯤에 형성된 것으로 추정되며, 용암이 흘러내린 흔적과 용암 표면이 굳어 빵 모양을 한 독특한 투물러스 지형도 발견되었다. 움푹 들어간 분화구 내부에는 줄도화돔, 자리돔, 감태, 황놀래기, 항아리해면 등 다양한 해양생물이 살고 있다. 해저 분화구는 육상에서 만들어졌으며 해수면 상승으로 인해 물속에 잠긴 것으로 추정된다.

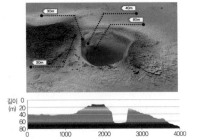

1 육지에 높은 산과 언덕, 낮고 편평한 곳, 깊은 골짜기 등이 있는 것처럼 바다 밑 땅도 울퉁불퉁하다. 바다는 물이 깊기 때문에 바다 밑의 모양을 확인하기 어렵다. 바다 밑 지형의 모양을 알 수 있는 가장 편리한 방법을 서술하시오. [6점]

❷ 일반적으로 바다에 태양빛이 희미하게나마 미칠 수 있는 수심은 150 m 이며, 그 이상의 수심은 캄캄한 암흑 세계이다. 이러한 캄캄한 바닷속 에도 생물이 살고 있다. 빛이 비치지 않아 식물은 전혀 살 수 없지만, 조개류, 불가사리류, 해면류, 갯지렁이류의 동물들은 어두운 환경에 적 응하여 살아가고 있다. 심해 생물이 어두운 환경에서 적응하여 살아가 기 위한 방법을 이유와 함께 다섯 가지 서술하시오. [8점]

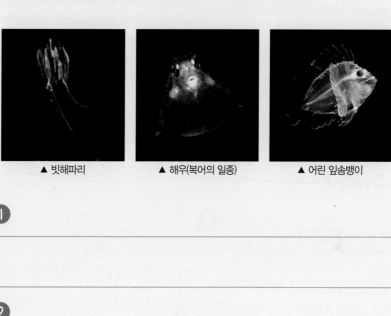

▲ 빗해파리　　　▲ 해우(복어의 일종)　　　▲ 어린 잎솜뱅이

❶
_____

❷
_____

❸
_____

❹
_____

❺
_____
_____
_____

과학 STEAM 50

다음은 적정기술 중 하나인 라이프스트로우에 대한 내용이다.

기사

적정기술이란 삶의 질을 높이기 위해 첨단 기술이 아니더라도 적은 비용으로 꼭 필요한 곳에 쉽게 구할 수 있는 재료를 사용해 쉽게 사용할 수 있도록 만든 기술을 뜻한다.

라이프스트로우(lifestraw)는 적정기술의 한 예이다. 상수도 시설이 갖춰지지 않은 아프리카 지역 사람들은 오염된 물 때문에 각종 전염병과 질병에 노출되어 있다. 이런 사람들을 위해 2달러도 되지 않는 저렴한 비용으로 만들 수 있는 정수 장치가 라이프스트로우, 번역하면 '생명 빨대'이다. 라이프스트로우는 불순물을 걸러내는 2중 장치와 아이오딘과 활성탄을 이용한 2중 필터로 바이러스와 박테리아 등을 99.9 % 이상 제거한다. 라이프 스트로우는 배터리나 필터를 교환할 필요가 없고, 1년에 700 L의 물을 정수할 수 있다.

1 밥은 30일 정도 먹지 않아도 죽지 않지만 물은 3일만 마시지 않으면 생명을 잃게 되므로 오염된 물이라도 마실 수 밖에 없다. 사람에게 물이 소중한 이유를 두 가지 서술하시오. [6점]

①

②

평가 영역
☐ 과학 사고력 ☐ 과학 창의성
■ 과학 STEAM

평가 요소
☐ 개념 이해력 ☐ 탐구 능력
☐ 유창성 ☐ 독창성 및 융통성
■ 문제 파악 능력 ☐ 문제 해결 능력

교과 영역
☐ 에너지 ■ 물질 ■ 생명 ☐ 지구

난이도 ★ ★ ☆

과학 5강

평가 영역
□ 과학 사고력 □ 과학 창의성
■ 과학 STEAM

평가 요소
□ 개념 이해력 □ 탐구 능력
□ 유창성 □ 독창성 및 융통성
□ 문제 파악 능력 ■ 문제 해결 능력

교과 영역
□ 에너지 ■ 물질 ■ 생명 □ 지구

난이도 ★ ★ ☆

❷ 기사 내용을 바탕으로 라이프스트로우의 내부 구조를 추리하여 그리고 라이프스트로우가 어떻게 깨끗한 물을 만드는지 서술하시오. [8점]

• 라이프스토로우 내부 구조

• 라이프스토로우의 원리

50제 시리즈로 대비할 수 있는

과학 대회
안내

☑ **4월** 초등과학 창의사고력 대회
－ 서울교육대학교 주최

☑ **7월** 한국과학창의력대회
－ 한국과학교육단체총연합회 주최

☑ **9월** 영재교육 대상자 선발
－ 교육청 주최

☑ 기출문제 및 예시문제

초등과학 창의사고력대회

👓 목적

초등학생의 과학에 대한 흥미를 증진시키고, 과학에 대한 관심과 이해 정도를 파악할 수 있는 기회를 제공한다.

👓 주최 · 주관 서울교육대학교 · 기초과학교육연구원

👓 대상 및 참가인원

- 대상 : 전국 초등학교 3, 4, 5, 6학년 학생
- 참가비 : 40,000원(접수비 6,000원 포함)

👓 일시 및 장소

- 접수기간 : 4월(홈페이지 참고)
- 시험일시 : 4월(홈페이지 참고)
- 시험장소 : 서울교육대학교

👓 시험 형식 및 출제 방향

- 시험형식 : 주관식(단답형＋서술형) 문항
- 출제범위 : 하위 학년 전 과정~해당 학년 1학기 전 과정
- 출제방향 : 하위 학년 전 과정~해당 학년 1학기 전 과정
  - 학교에서 학습한 모든 과목의 기초 지식을 활용하여 창의적으로 문제를 해결하는 능력을 평가한다.
  - 6개 과학 창의 역량(비교 · 분류, 모형사용, 정보해석, 탐구설계, 일반화, 해결방안 도출)의 수준을 평가한다.

👓 홈페이지 http://bsedu.snue.ac.kr

[I] 다음은 민들레 씨앗이 바람을 타고 멀리 날아가는 모습이다. − 3, 4학년(모형 사용)

① 민들레 씨앗이 멀리 날아갈 수 있게 하는 민들레 씨앗만의 특징이 무엇인지 쓰시오.

[모범답안] 씨앗에 털이 붙어 있다.

[해설] 민들레 씨앗은 바람을 타고 100 km 넘게 날아간다.

② 민들레 씨앗이 멀리 날아가는 것과 같은 원리를 이용하는 기구를 한 가지 쓰시오.

[모범답안] 낙하산, 공기를 이용하여 떨어지지 않고 멀리 이동한다.

[II] 현주는 단풍나무 씨앗이 빙글빙글 돌면서 천천히 떨어지는 것을 보고, 그림과 같은 종이 모형을 만들어 떨어뜨려 보았다. 현주는 더 오래 날 수 있는 모형을 만들고 싶었다. 그래서 원래 모형보다 날개의 크기를 더 크게 만들어 같은 위치에서 동시에 떨어뜨려 보았다. − 4학년(탐구설계)

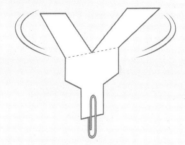

① 현주는 모형이 떨어지는 빠르기에 영향을 준 요인을 무엇이라고 생각하였는지 쓰시오.

[모범답안] 날개의 크기

② 현주의 궁금증을 해결하기 위해 무엇을 측정해야 하는지 쓰시오.

[모범답안] 날개의 크기, 모형이 떨어지는 데 걸린 시간

③ 현주가 생각한 요인 이외에 모형이 떨어지는 빠르기에 영향을 주는 요인을 두 가지 더 생각해서 쓰시오.

[모범답안] 모형의 무게, 바람의 세기

한국과학창의력대회

목적

제4차 산업혁명 시대를 능동적으로 이끌어 갈 창의성과 리더십을 가진 융합인재의 육성을 위해 창의적인 과학 사고력을 신장시킨다.

주최 · 주관 : 한국과학교육단체총연합회

대상 및 자격

- 참가 대상 : 전국 초등학교 4, 5, 6학년, 중학교 1~3학년, 고등학교 1~3학년 학생
  - 1차 시험 대상 : 초등학교 4~6(Ⅰ), 중학교 1~3(Ⅱ), 고등학교 1~3(Ⅲ), 과학고 · 과학영재학교(Ⅳ)
  - 2차 시험 대상 : 1차 시험에 선발된 인원
- 참가 인원 및 자격
  - 학년별 4명 이내(단, 학년 당 학급 규모가 11 학급 이상의 경우 6명 이내) 학교장 추천을 받은 학생
  - 과학성적 우수자, 과학대회 및 과학체험활동에서 우수한 역량을 발휘한 자

일시 및 장소

- 1차 : 7월(홈페이지 참고)
- 2차 : 8월(홈페이지 참고)
- 시험 장소 : 홈페이지 확인

시험 형식 및 출제 방향

- 1차 : 창의적 과학 문제 해결 능력 지필 평가
- 2차 : 융합과학 창의적 산출물 제작 활동 및 말하기 능력 수행 평가

홈페이지 http://www.kofses.or.kr

예시문제

[I] 다음은 양초가 타고 있는 모습을 찍은 사진이다.

① 다음 사진을 자세히 관찰하고 관찰한 현상 다섯 가지와 그러한 현상이 일어나는 까닭을 쓰시오.

[모범답안]

① 겉불꽃은 잘 보이지 않는다. 산소의 공급이 충분하여 완전 연소가 이루어지므로 온도가 가장 높아 불꽃의 색깔이 푸른색이기 때문이다.

② 불꽃심은 가장 어둡다. 액체 상태의 초가 불꽃으로 가열되어 기체로 되는 부분으로 온도가 가장 낮기 때문이다.

③ 속불꽃은 가장 밝게 빛난다. 완전히 타지 못한 탄소 알갱이가 타면서 빛을 내기 때문이다.

④ 불꽃 모양은 위로 뾰쪽한 모양이다. 대류 현상에 의해 뜨거운 공기가 위로 올라가기 때문이다.

⑤ 심지 바로 아래에는 액체 상태의 초가 있다. 뜨거운 열에 의해 고체 상태의 초가 녹았기 때문이다.

② 다음 사진과 같이 양초의 불꽃을 동그란 종 모양으로 만들 수 있는 과학적인 방법 두 가지와 그것이 가능한 이유를 쓰시오.

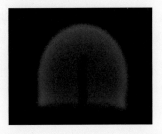

[모범답안]

① 우주 정거장 안에서 촛불을 켠다. 우주 정거장은 무중력 상태이므로 대류 현상이 일어나지 않아서 불꽃이 사방으로 퍼져 나간다.

② 비행기를 타고 45°로 상승하다가 엔진을 끈 후 비행기가 하강할 때 촛불을 켠다. 지구 상에서 비행기를 이용해서 45°로 상승하다가 엔진을 끄면 떨어지면서 약 25초간 무중력 상태가 만들어지기 때문이다.

[해설] 무중력상태인 우주정거장에서 양초에 불을 붙이면 대류 현상이 일어나지 않아 불꽃이 사방으로 퍼져나간다. 대류 현상에 의한 산소 공급이 이루어지지 않기 때문에 주변의 산소를 이용한 연소가 끝나면 불꽃은 꺼진다.

영재교육대상자 선발

영재교육원 종류 및 시기

기관	선발 방법	선발 시기
교육지원청 영재교육원	창의적 문제해결력 및 면접 평가	11월~12월
단위학교 영재교육원	창의적 문제해결력 및 면접 평가	11월~12월
직속기관 영재교육원	창의적 문제해결력 및 면접 평가	11월~12월
영재학급	창의적 문제해결력 및 면접 평가	2월~3월
대학부설 영재교육원	창의적 문제해결력 및 면접 평가	8월~11월

※ 지역별로 선발 과정이 다를 수 있으니 반드시 해당 영재교육원 모집 공고를 확인하세요.

일정 및 방법

• 교육지원청 영재교육원 및 직속기관, 단위학교 영재교육원

단계	주관	일정	세부 내용
지원 단계	학생	11월	• GED에서 지원서, 자기체크리스트 작성 • 지원서를 출력하여 소속 학교 담임교사에게 제출
추천 단계	소속 학교	11월	• 담임교사 학생 지원 자료 확인 및 창의적인성검사 제출 • 학교추천위원회 학교별 지원자 명단 확인 후 최종 추천
창의적 문제해결력 및 면접 평가 단계	교육지원청	12월	• 창의적 문제해결력 및 면접 평가 실시
최종 합격자 발표	교육지원청	12월	• 아래 합산 성적순 　－교사 체크리스트 : 20점 　－창의적 문제해결력 평가 : 70점 　－면접 : 10점

유의 사항

• 동일 교육청 소속 영재교육원 중복 지원 불가
• 동일 학년도 내에서 영재교육기관 합격자는 타 영재교육기관에 지원 불가
• 중복 지원이 허용되는 경우 중복 합격이 가능하지만 중복 등록은 불가

[I] 맷돌을 이루는 암석이 (1), (2)와 같은 특징을 가지게 된 원인을 암석의 생성 과정과 관련지어 설명하시오.

> 유준이는 지난주에 가족과 함께 제주도에서 휴가를 보냈다. 그리고 여행 중에 들린 제주민속박물관에서 맷돌을 보았다. 맷돌을 자세히 살펴보니 두 가지 특징을 찾을 수 있었다.
> (1) 알갱이의 크기가 매우 작다.
> (2) 표면에 크고 작은 구멍이 많이 뚫려 있다.

[모범답안]
(1) 마그마가 지표로 흘러나와 빠르게 굳으면서 생성되어 알갱이 크기가 작다.

(2) 마그마가 지표로 흘러나와 빠르게 굳을 때 마그마에 있던 기체가 빠져나가지 못하면 기체가 갇혀 있던 곳에 크고 작은 구멍이 생긴다.

[해설] 현무암은 검은색이나 회색이며 알갱이의 크기가 매우 작고 표면은 거칠거칠하며, 표면에는 크고 작은 구멍이 있다. 현무암은 마그마가 지표로 흘러나와 빠르게 굳어져 만들어진다. 마그마에 있던 기체가 빠져나가지 못하면 기체가 갇혀 있던 곳에 크고 작은 구멍이 생긴다.

[II] 민서는 학교 앞 개울가에서 다음과 같은 수생동물을 채집했다. 이 동물들을 채집할 때 필요한 물건을 5가지 쓰고 각각의 용도를 서술하시오.

> 물잠자리, 플라나리아, 가재, 거머리

[모범답안]
① 뜰채 : 물에 사는 생물을 채집할 때 사용한다.

② 붓 : 플라나리아와 같은 몸이 연한 작은 생물을 채집할 때 사용한다.

③ 핀셋 : 작은 생물을 채집할 때 사용한다. 몸이 연한 생물을 채집할 때는 사용하면 안 된다.

④ 집기병 : 생물을 종류별로 담을 때 사용한다.

⑤ 돋보기 : 채집한 생물을 확대해서 볼 때 사용한다.

⑥ 필기도구 : 관찰한 내용이나 채집할 때의 모습과 결과를 기록할 때 사용한다.

⑦ 카메라 : 관찰 모습이나 관찰 내용을 기록할 때 사용한다.

[Ⅲ] 다음과 같이 우리 주변에서 같은 물체이지만 다른 물질로 만든 예를 3가지 서술하시오.

[모범답안]

① 우산 : 종이, 비닐, 천 등

② 컵 : 유리, 금속, 플라스틱, 종이 등

③ 그릇 : 유리, 금속, 플라스틱 등

④ 가방 : 비닐, 가죽, 천, 종이 등

⑤ 옷 : 면, 나일론, 폴리에스테르, 가죽 등

⑥ 의자 : 나무, 금속, 플라스틱 등

⑦ 모자 : 천, 플라스틱, 가죽 등

[해설] 의자, 그릇, 모자, 가방 등은 다양한 물질로 만들어 쓰임새에 따라 사용한다. 물질의 종류에 따라 좋은 점이 다르므로 쓰임새에 맞게 사용하기 위해서 다양한 물질로 만든다.

[Ⅳ] 다음은 바이오 디젤에 관한 설명이다. 바이오 디젤 사용이 인간 생활에 미칠 수 있는 영향을 5가지 서술하시오.

바이오 디젤이란 콩기름, 유채기름, 폐식물기름, 해조유(海藻油) 식물성 기름을 원료로 해서 만든 무공해 연료를 통틀어 일컫는 말이다.

[모범답안]

① 지속적으로 생산할 수 있는 식물로 만들므로 에너지 자원의 고갈 문제가 없다.

② 연료에 황 성분이 거의 포함되어 있지 않아서 산성비의 주범인 황 산화물을 거의 배출하지 않는다.

③ 바이오 디젤은 수중에 유출될 때 경유보다 4배 정도 빠르게 분해된다.

④ 폐식용유 등 폐자원의 활용으로 환경 오염 감소 효과가 있다.

⑤ 지구 온난화의 주범인 이산화 탄소 배출량이 경유에 비해 적다.

⑥ 바이오 디젤을 생산하기 위해서는 많은 양의 식물자원이 필요하다.

⑦ 식물을 재배하기 위한 토지 확보와 기후 변화에 따라 생산량의 변동이 있어 가격의 안정성 확보가 어렵다.

⑧ 엔진을 부식시키는 특징이 있어 엔진 고장을 유발한다.

⑨ 오래 저장하는 경우 변질되기 쉽다.

⑩ 식량자원을 이용한 연료라는 점에서 환경파괴와 전 세계 식량 공급 부족을 초래할 수 있다.

기 출 문 제

[V] 다음은 혼합물 분리 실험을 위한 준비물이다. 여러 가지 준비물을 살펴보고, 주어진 혼합물을 분리하는데 필요한 준비물을 골라 실험을 설계하고 실험 결과를 서술하시오.

> • 혼합물 : 아몬드, 쥐눈이콩, 조, 스티로폼 구, 쇠구슬
>
> • 준비물 : 자석, 종이컵, 송곳, 수조, 물, 테이프, 자, 윗접시저울, 식용유

[모범답안]

〈실험 방법〉

① 자석을 이용하여 혼합물에서 쇠구슬을 분리한다.

② 종이컵에 송곳으로 조보다 크고 쥐눈이콩보다 작은 구멍을 뚫어 남은 혼합물에서 조를 분리한다.

③ 종이컵에 송곳으로 쥐눈이콩보다 크고 아몬드보다 작은 구멍을 뚫어 남은 혼합물에서 쥐눈이콩을 분리한다.

④ 수조에 물을 담아 남은 혼합물에서 스티로폼 구와 아몬드를 분리한다.

〈실험 결과〉

① 혼합물에서 자석에 붙는 쇠구슬만 분리된다.

② 알갱이 크기 차이를 이용하여 조보다 크고 쥐눈이콩보다 작은 구멍으로 조만 분리된다.

③ 알갱이 크기 차이를 이용하여 쥐눈이콩보다 크고 아몬드보다 작은 구멍으로 쥐눈이콩이 분리된다.

④ 물에 뜨는 성질을 이용하여 물에 뜨는 스티로폼 구와 물에 가라앉는 아몬드가 분리된다.

[VI] 만약 추운 북극 지방에서 코끼리가 살아왔다면 어떤 모습일지 이유와 함께 5가지 설명하시오.

[모범답안]

① 추위를 견디기 위해 여러 겹의 털이 자랐을 것이다.

② 추위를 견디기 위해 몸에 두꺼운 지방층이 생겼을 것이다.

③ 열이 빠져나가지 않도록 표면적을 줄이기 위해 귀의 크기가 작고, 꼬리도 짧았을 것이다.

④ 열이 빠져나가는 것을 막기 위해 몸이 둥글둥글해졌을 것이다.

⑤ 펭귄처럼 원더네트(열교환 구조)나 혈액이 많이 흐르는 구조의 발을 갖고 있어 얼지 않았을 것이다.

⑥ 보호색으로 몸에 난 털이 하얀색이었을 것이다.

⑦ 먹이를 먹으면 낙타처럼 지방 덩어리를 모아서 어깨나 등에 혹으로 모아놨을 것이다.

⑧ 추위를 이기기 위해 무리지어 생활했을 것이다.

[해설] 추운 북극 지방에서 코끼리가 살았다면 매머드와 비슷하게 모습이 변해 추위를 이겨냈을 것이다. 몸의 표면적을 줄여 체온을 유지하고, 발은 얼지 않는 구조로 환경에 적응했을 것이다.

[Ⅶ] 다음 자료를 보고 전화나 인터넷 같은 통신기술을 사용하지 않고 멀리 떨어져 있는곳에 신호를 전달할 수 있는 방법을 5가지 서술하시오. (단, 사람의 목소리가 들리지 않을 만큼 충분한 거리에서 전달한다.)

> 지금은 통신기술이 발달하여 전화나 인터넷을 통하여 멀리 있는 곳까지 정보를 전달하지만, 옛날에는 높은 곳에 봉수대를 만들어 낮에는 연기로, 밤에는 불빛으로 약속된 신호를 전달했다.

[모범답안]
① 드론을 이용하여 신호를 전달한다.
② 비둘기나 매를 훈련시켜 신호를 전달한다.
③ 파발처럼 사람이 직접 이동하여 신호를 전달한다.
④ 볼 수 있는 가까운 거리는 깃발이나 손으로 신호를 보낸다.
⑤ 멀리까지 곧게 나아갈 수 있는 레이저 빛을 이용해 약속된 신호를 전달한다.
⑥ 가까운 거리는 악기, 북소리, 소리 나는 화살 등을 이용해 신호를 전달한다.

[Ⅷ] 수컷 공작새는 화려한 깃털을 가질수록 자신의 자손을 남길 확률이 높아진다. 이때문에 수컷 공작새의 깃털은 더욱 화려하게 진화하고 있다. 하지만 화려한 깃털을 가지고 있을수록 천적의 눈에 쉽게 띤다. 수컷 공작새가 적의 위협을 피하는 방법을 3가지 서술하시오.

[모범답안]
① 나뭇잎이 많은 풀숲에 숨어 적의 눈에 띄지 않게 한다.
② 요란한 울음소리를 내며 적을 위협한다.
③ 빨리 달린다.
④ 큰 날개를 빠르게 퍼덕거리면서 날아간다.
⑤ 꽁지깃을 몸통인 것처럼 위장하고 꽁지깃만 떼어준 후 나무 위로 날아오른다.
[해설] 수컷 공작이 날아오를 때 깃털이 방해가 되긴 하지만, 일단 날아오르면 시속 16km의 속력으로 날 수 있다.

[IX] 요즘에는 청소 로봇, 애완견 로봇 등 여러 종류의 로봇을 일상생활에 이용하고 있다. 이 로봇 중에는 동물의 생김새와 특징을 이용한 것이 있다. 제시된 것 외에 동물의 생김새와 특징을 활용한 생체모방 로봇을 3가지 서술하시오.

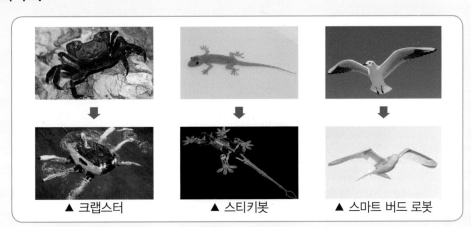

▲ 크랩스터　　　　　▲ 스티키봇　　　　　▲ 스마트 버드 로봇

[모범답안]

① 애벌레의 움직임을 모방하여 지진, 폭발, 화재 등 재난 현장에서 좁은 공간으로 들어가 탐색하는 로봇을 만들었다.

② 지렁이의 움직임을 본떠 미끌미끌한 내장을 움직이며 진단하는 내시경 로봇을 만들었다.

▲ 애벌레　　　　▲ 로보웜　　　　▲ 지렁이　　　　▲ 내시경 로봇

③ 공벌레처럼 몸을 스스로 말았다가 펼침으로써 변신 가능하고, 공 모양으로 빠르게 정찰 위치로 이동한 후 펼쳐지는 정찰 로봇을 만들었다.

④ 실제 치타의 몸 구조를 모방하여 고속으로 주행하는 치타 로봇을 만들었다.

▲ 공벌레　　　　▲ 정찰 로봇　　　　▲ 치타　　　　▲ 치타 로봇

⑤ 실제 물고기의 유선형 구조를 모방하여 무인 유영하면서 바다의 오염원을 탐지, 추적하고 해양 생물의 위치를 파악하는 로보피쉬를 만들었다.

▲ 물고기　　　　▲ 로보피시

〈면접〉

[I] 다른 친구들과 어울리지 못하는 아이가 있을 때 나라면 어떻게 할 것인지 말해보시오.

> [해설] 인성 면접 문제이다. 영재원에서는 대부분 팀으로 탐구하므로 갈등 해소 능력, 겉도는 친구를 포용하는 마음, 다른 사람의 감정을 공감하는 능력 등을 확인하는 질문이 많이 나온다. 미리 적절한 답안을 생각해보는 것이 좋다.

[II] 아프리카에는 가난한 사람들이 많이 있다. 내가 그 사람들을 위해 어떤 일을 할 수 있는지 방법을 3가지 말해보시오.

> [모범답안]
> ① 여러 구호단체의 모금 활동, 기부, 후원을 통해 돕는다.
> ② 아프리카 어린이를 위해 편지를 쓴다.
> ③ 아프리카의 상황을 주변 사람들에게 알린다.
> [해설] 어른이 되어서 돈을 벌어서 도와주겠다는 생각보다 지금 내가 할 수 있는 작은 도움을 생각해보는 것이 좋다.

[III] 달나라를 여행하는 우주선에 탑승하는 우주복에 있어야 할 기능을 5가지 말해보시오.

> [모범답안]
> ① 온도를 일정하게 유지해 주는 장치
> ② 산소를 공급하는 장치
> ③ 기압을 일정하게 유지해 주는 장치
> ④ 헬멧을 썼을 때 외부와 통신이 가능한 장치
> ⑤ 식수를 공급할 수 있는 장치
> ⑥ 움직일 때 힘들지 않도록 관절 부분에 주름이 많은 우주복
> ⑦ 쉽게 찢어지지 않는 소재로 만든 우주복
> [해설] 달은 지구와 달리 대기압이 작용하지 않고 산소가 없으며 태양열에 의한 극고온과 극저온의 환경이 반복되는 공간이다. 또한, 빠른 속도로 날아다니는 우주먼지와 각종 전자파 및 방사능 등이 우주비행사들을 위협하고 있다. 따라서 달에서 입는 우주복에는 우리 몸을 보호 할 수 있는 최첨단 장치가 있어야 한다.

[Ⅳ] 비행기는 새를 본 떠 만들었다. 이처럼 동, 식물을 본 떠 만든 것을 말하고, 장점 2가지를 말해보시오.

[모범답안]

• 연잎 : 물방울이 맺히지 않고 동그랗게 뭉친다. 벽, 자동차, 운동화, 기능성 의류 표면에 연잎처럼 물이 맺히지 않고 흘러내리도록 하면 젖지 않고 항상 깨끗한 상태를 유지할 수 있다.

• 도깨비바늘 : 씨 끝부분에 가시 같이 짧고 날카로운 바늘이 사방을 향해 벌어져 있어 옷이나 털에 박혀 잘 빠지지 않는다. 도깨비바늘 씨앗을 본 떠 낚싯바늘이나 작살을 만든다.

[Ⅴ] 모둠원들이 민수의 행동을 선생님께 말씀드려야 할지에 대해 자신의 입장을 정하여 말해보시오.

> 민수네 학급은 오늘 미술 시간에 협동화 그리기를 했습니다. 그러나 민수는 자기가 맡은 그림에 색칠도 안 하고 놀기만 했습니다. 끝날 시간이 되자 모둠 아이들은 마음이 급한 나머지 민수의 그림까지 함께 색칠해서 냈습니다. 선생님은 민수네 모둠의 협동화가 가장 멋있다고 칭찬을 해 주시며 모둠원 전체에게 스티커를 한 장씩 주셨습니다. 모둠원들은 민수가 협동화 그리기는 하지 않고 장난만 치고 스티커를 받았다는 사실을 선생님께 말씀드려야 할지 고민했습니다.

[해설] 모둠 활동에서 자주 발생할 수 있는 상황이다. 모둠 활동에서 주로 1명이 주도적으로 하고 1~2명이 참여를 하지 않는 경우가 발생하기도 한다. 협동화나 조별 과제 등을 해결할 때 참여하지 않는 친구가 생기면 대부분 한두 번 이야기 하고 그래도 참여하지 않으면 선생님께 말씀드린다. 그러나 이번 상황은 민수에게 색칠하라고 이야기하는 사람도 없었고, 선생님께 말씀드리지도 않은 상황에서 민수를 빼고 협동화를 마무리했다. 모둠원들이 민수의 행동을 선생님께 말씀드린다면 모둠원들이 민수와 협동하려고 노력하지 않는 부분에서 모둠원들에게 준 스티커를 모두 회수할 수 있다. 또한, 선생님께 민수의 행동을 말씀드린다고 해서 민수가 다음부터 협동할 확률은 그리 높지 않을 것이다. 가장 중요한 핵심은 민수가 왜 협동하지 않았는지에 대한 모둠원들의 고민 없이 민수를 무시한 부분이다. 따라서 선생님께 말씀드리는 부분보다는 민수와 협동하기 위해 어떻게 해야 하는 것이 좋을지에 대한 해결 방안을 이야기하는 것이 좋다.

융합인재교육 STEAM 이란?

과학 [Science] S
수학 [Mathematics] M
STEAM 융합인재교육
기술 [Technology] T
예술 [Art] A
공학 [Engineering] E

· 수학, 과학, 기술, 공학 간 상호 연계성 고려, 학문 간 공통 핵심 요소 중심으로 교육
· 예술적 소양을 함양하고 타 학문에 대한 이해가 깊은 미래형 인재 양성으로 교육

[자료 출처 : 한국과학창의재단]

융합인재교육은 과학기술공학과 관련된 다양한 분야의 융합적 지식, 과정, 본성에 대한 흥미와 이해를 높여 창의적이고 종합적으로 문제를 해결할 수 있는 융합적 소양(STEAM Literacy)을 갖춘 인재를 양성하는 교육이라고 정의하고 있다. 학습자가 실제 문제 상황을 다양하게 설계하고 해결하는 과정을 통해 새로운 개념을 생성하고, 창의적으로 설계하며, 더불어 사는 인성, 즉 사회적 감성을 발달하도록 하는 것이다.
이러한 융합인재교육(STEAM)의 목적은 다음과 같이 정리할 수 있다.

✾ 빠르게 변화하는 사회 변화의 적응력을 높이는 것이다.
✾ 개인의 창의 인성, 지성과 감성의 균형 있는 발달을 돕는 것이다.
✾ 타인을 배려하고 협력하며, 소통하는 능력을 함양하는 것이다.
✾ 과학 효능감과 자신감, 과학에 대한 흥미 등을 증진시킴으로써 과학 학습에 대한 동기 유발을 높이는 것이다.
✾ 융합적 지식 및 과정의 중요성을 인식시키는 것이다.
✾ 학습자 중심의 수평적 융합적 교육으로 전환하는 것이다.
✾ 합리적이고 다양성을 인정하는 문화 형성에 기여하는 것이다.
✾ 대중의 과학화를 기반으로 한 합리적인 사회를 구성하는 데 기여하는 것이다.
✾ 창조적 협력 인재를 양성하는 것이다.
✾ 수학, 과학, 기술, 공학 간 상호 연계성 고려, 학문 간 공통 핵심 요소 중심으로 교육
✾ 예술적 소양을 함양하고 타 학문에 대한 이해가 깊은 미래형 인재 양성으로 교육

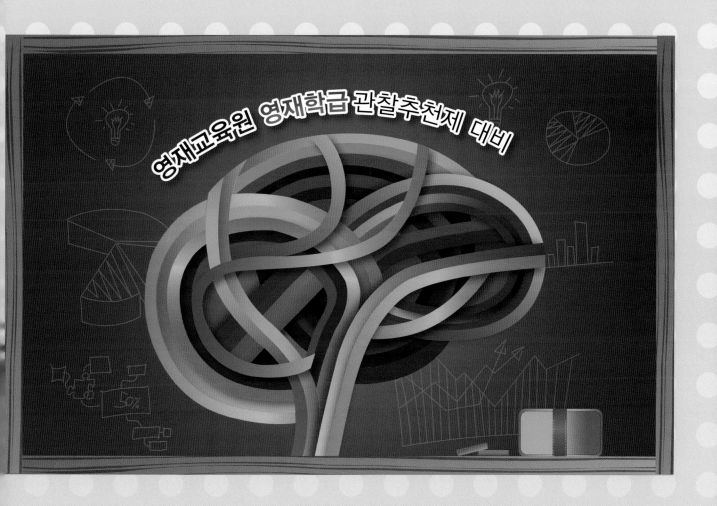

영재교육원 영재학급 관찰추천제 대비

안쌤의
「창의적 문제 해결력」 수학 과학
공통

모의고사

① 모의고사[4회]

- 최근 시행된 전국 관찰추천제 **기출 완벽 분석 및 반영**
- 서울권 창의적 문제해결력 **평가 대비**
- 영재성검사, 학문적성검사, 창의적 문제해결력 검사 대비

② 평가 가이드 및 부록

- 영역별 점수에 따른 **학습 방향 제시와 차별화된 평가 가이드 수록**
- 창의적 문제해결력 평가와 면접 기출유형 및 예시답안이 포함된 **관찰추천제 사용설명서 수록**

안쌤의
줄기과학 시리즈

새 교육과정
3~4학년
학기별
STEAM 과학

3-1 **8강** 3-2 **8강**   4-1 **8강** 4-2 **8강**

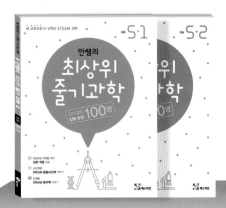

새 교육과정
5~6학년
학기별
STEAM 과학

5-1 **8강** 5-2 **8강**   6-1 **8강** 6-2 **8강**

새 교육과정
중등 영역별
STEAM 과학

물리학 24강   화학 16강   생명과학 16강   지구과학 16강   물리학 워크북   화학 워크북

5일 완성 프로젝트

파이널

안쌤의 창의적 문제해결력

과학 50제

정답 및 해설

파이널 50제 5강 구성

★ 영재성검사, 창의적 문제해결력 평가 및 검사,
   창의탐구력 검사에 공통으로 출제되는 과학 사고력,
   과학 창의성, 과학 STEAM(융합사고) 문제 유형으로 구성

★ 서술형 채점 기준으로 자신의 답안을 채점하면서
   답안 작성 능력을 향상시킬 수 있도록 구성

부록 |
50제 시리즈로 대비할 수 있는
과학 대회 안내

초등과학 창의사고력 대회, 한국과학창의력대회, 영재교육원 선발에 대한 안내와 기출 유형 문제 수록

초등 3~4학년

매스티안

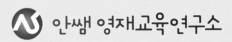
안쌤 영재교육연구소

상위 1%가 되는 길로 안내하는 이정표로,
학생들이 꿈을 이루어갈 수 있도록 콘텐츠 개발과 강의 연구를 하고 있다.

저자 **안쌤 영재교육연구소**
안재범, 최은화, 유나영, 이상호, 추진희, 허재이, 오아린, 이나연, 김혜진, 김샛별, 최혜성

검수
강동규, 김종욱, 김주석, 김진남, 박은아, 배정인, 전익찬, 정영숙, 정회은, 최현규

이 교재에 도움을 주신 선생님
고려욱, 김민정, 김성희, 김은수, 김정숙, 김정아, 김진남, 김종욱, 김현민, 김희진, 마성재, 박선재,
박재현, 박진국, 백광열, 서윤정, 신석화, 신한규, 안혜정, 어유선, 우마리아, 유경아, 유승희, 유영란,
유지유, 윤선애, 윤이현, 이석영, 이은덕, 임선화, 임성은, 임은란, 장수진, 전진홍, 전희원, 정지윤,
정대현, 조영부, 채윤정, 채중석, 최용덕, 추지훈, 하정용

영재교육원 영재학급 관찰추천제 대비

5일 완성 프로젝트

파이널

안쌤의 창의적 문제해결력

과학 50제

정답 및 해설

초등
3~4학년

매스티안

문항 구성 및 채점표

평가영역 문항	과학 사고력		과학 창의성		과학 STEAM	
	개념 이해력	탐구 능력	유창성	독창성 및 융통성	문제 파악 능력	문제 해결 능력
1	점					
2		점				
3		점				
4	점					
5			점	점		
6			점	점		
7			점	점		
8			점	점		
9					점	점
10					점	점

평가영역별 점수	개념 이해력	탐구 능력	유창성	독창성 및 융통성	문제 파악 능력	문제 해결 능력
	과학 사고력		과학 창의성		과학 STEAM	
	/ 40점		/ 30점		/ 30점	

총점	

평가 결과에 따른 학습 방향

사고력	35점 이상	정확하게 답안을 작성하는 연습을 하세요.
	24~34점	교과 개념과 연관된 응용문제로 문제 적응력을 기르세요.
	23점 이하	틀린 문항과 관련된 교과 개념을 다시 공부하세요.
창의성	26점 이상	보다 독창성 및 융통성 있는 아이디어를 내는 연습을 하세요.
	18~25점	다양한 관점의 아이디어를 더 내는 연습을 하세요.
	17점 이하	적절한 아이디어를 더 내는 연습을 하세요.
STEAM	26점 이상	답안을 보다 구체적으로 작성하는 연습을 하세요.
	18~25점	문제 해결 방안의 아이디어를 다양하게 내는 연습을 하세요.
	17점 이하	실생활과 관련된 과학 기사로 과학적 사고를 확장하는 연습을 하세요.

정답 및 해설

01 두 클립 모두 스티커 붙은 쪽이 자석의 N극과 반대인 S극으로 자화되므로 서로 밀어내는 힘이 작용한다. 따라서 물 위에 띄워진 클립이 회전한다.

요소별 채점 기준	점수
클립 움직임을 바르게 쓴 경우	4점
이유를 바르게 서술한 경우	4점

[해설]

• 자화된 클립의 자기력이 약하기 때문에 마찰력이 큰 책상이나 종이 위에서는 클립의 움직임을 관찰하기 힘들다. 마찰력이 작아 쉽게 움직일 수 있는 물 위에서 실험하는 것이 좋다.

• 자석에 붙는 물체를 자화시키는 방법은 세 가지가 있다.

① 자석에 붙여 놓기 : 자석에 붙은 부분이 자석과 반대 극으로 자화된다.

② 자석으로 한 방향으로 문지르기 : 자석으로 문지른 끝 부분이 자석과 반대 극으로 자화된다.

③ 전자석 만들기 : 쇠막대에 전선을 감고 전선에 전류를 흘러보내면 쇠막대가 자석이 된다.

◎ 자석에 붙여 놓기   ◎ 자석으로 문지르기   ◎ 전자석 만들기

❶ 설탕은 고체이다. 설탕은 작은 알갱이들이 모여 있어 담는 그릇에 따라 전체 모양은 달라지지만 알갱이 하나하나의 모양은 달라지지 않기 때문이다.

❷

• 설탕과 물을 바닥에 쏟아본다. 고체인 설탕은 흘러내리지 않고 산처럼 쌓이고 액체인 물은 흘러서 퍼진다.
• 설탕과 물을 손으로 잡아본다. 고체인 설탕은 손으로 잡을 수 있지만 액체인 물은 잡을 수 없다.

요소별 채점 기준	점수
설탕의 상태를 바르게 쓴 경우	1점
이유를 바르게 서술한 경우	3점
실험을 바르게 설계한 경우	4점

[해설]

❷ 액체는 담는 그릇에 따라 모양이 변하고 흘러내려서 손으로 잡을 수 없다. 고체는 담는 그릇이 바뀌어도 모양과 크기가 변하지 않으며 흘러내리지 않고 손으로 잡을 수 있다.

03 호랑나비는 알-애벌레-번데기-성충의 단계를 거치는 완전 탈바꿈을 하고 잠자리는 알-애벌레(수채)-성충의 단계를 거치는 불완전 탈바꿈을 한다.

요소별 채점 기준	점수
한살이 단계를 바르게 비교한 경우	4점
완전 탈바꿈과 불완전 탈바꿈 단어를 사용한 경우	4점

[해설] 나비, 파리, 모기, 무당벌레, 사슴벌레, 장수풍뎅이는 완전 탈바꿈을 하고 메뚜기, 사마귀, 매미, 노린재, 대벌레는 불완전 탈바꿈을 한다.

◐ 장수풍뎅이 알   ◐ 장수풍뎅이 애벌레   ◐ 장수풍뎅이 번데기   ◐ 장수풍뎅이 성충

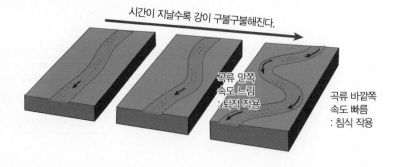

◐ 사마귀 알   ◐ 사마귀 애벌레   ◐ 사마귀 성충

04 물이 곡선으로 흐를 때 물이 빠르게 흐르는 바깥쪽 부분에서는 주로 침식 작용이 일어나고, 물이 천천히 흐르는 안쪽 부분에서는 주로 퇴적 작용이 일어난다. 침식과 퇴적이 수없이 반복되면서 강이 구불구불해진다.

시간이 지날수록 강이 구불구불해진다.

곡류 안쪽 속도 느림 :퇴적 작용

곡류 바깥쪽 속도 빠름 : 침식 작용

요소별 채점 기준	점수
곡류 안쪽과 바깥쪽의 물의 속도를 비교한 경우	4점
곡류 안쪽과 바깥쪽의 물의 작용을 비교한 경우	4점

[해설] 구불구불 흐르는 강을 곡류천이라고 하며, 뱀이 기어가는 모습과 비슷하다고 하여 사행천이라고도 부른다. 우리나라 대표 곡류천은 강원도 정선군 동강이다.

정답 및 해설

05
- 자동차 뒤쪽에 막대자석의 같은 극을 가까이하면 자석끼리 밀어내는 힘에 의해 자동차가 앞으로 나아간다.
- 자동차 앞쪽에 막대자석의 다른 극을 가까이하면 자석끼리 끌어당기는 힘에 의해 자동차가 앞으로 나아간다.
- 자동차 앞쪽에 철판을 가까이하면 자석과 철 사이에 끌어당기는 힘에 의해 자동차가 앞으로 나아간다.

[해설] 자석은 철로 된 물체를 끌어당기고, 자석의 같은 극 사이에서는 서로 밀어내는 척력이 작용하고 자석의 다른 극 사이에서는 서로 당기는 인력이 작용한다.

06

물체	물질	좋은 점
바퀴	고무	• 충격을 잘 흡수한다. • 탄력이 좋다.
몸체	금속	• 튼튼하다. • 잘 부러지지 않는다.
안장	가죽	• 충격을 잘 흡수한다. • 부드럽다. • 느낌이 좋다. • 편안하다. • 겨울에 차갑지 않다.
체인	철	• 튼튼하다. • 잘 부러지지 않는다.
라이트	플라스틱	• 투명하다. • 가볍다.

07
- 몸 색을 주변 색과 비슷하게 하여 천적의 눈에 띄지 않게 한다.
  ➡ 보호색
- 애벌레 몸을 나뭇가지나 나뭇잎 모양으로 하여 천적의 눈을 피한다.
  ➡ 의태
- 천적을 만났을 때 재빠르게 도망간다.
- 천적을 만났을 때 고약한 냄새를 내뿜어 천적이 잡아먹는 것을 포기하도록 만든다.
- 천적을 만났을 때 독을 뿜는다.

※ 유창성 [6점]

총체적 채점 기준	점수
세 가지 방법을 서술한 경우	6점
두 가지 방법을 서술한 경우	4점
한 가지 방법을 서술한 경우	2점

※ 독창성 및 융통성 [4점]

요소별 채점 기준	점수
보호 색을 서술한 경우	2점
고약한 냄새나 독을 서술한 경우	2점

[해설]
- 몸 색을 주변 색과 비슷하게 한다.
  🔲 배추흰나비 애벌레, 박각시나방 애벌레 등
- 몸을 나뭇가지나 나뭇잎 모양으로 한다.
  🔲 가지나방 애벌레, 자나방 애벌레 등
- 재빠르게 도망간다. 🔲 흰무늬왕불나방 애벌레 등
- 고약한 냄새를 내뿜는다. 🔲 호랑나비 애벌레 등
- 독을 뿜는다. 🔲 노랑쐐기나방 애벌레, 모나크나비 애벌레 등

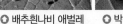

✿ 배추흰나비 애벌레   ✿ 박각시나방 애벌레   ✿ 가지나방 애벌레

✿ 자나방 애벌레, 자벌레   ✿ 흰무늬왕불나방 애벌레   ✿ 호랑나비 애벌레

✿ 노랑쐐기나방 애벌레   ✿ 모나크나비 애벌레

08
- 흙 언덕의 기울기를 급하게 한다.
- 물의 양을 많이 한다.
- 물을 빨리 흘려보낸다.
- 흙 알갱이 크기를 더 작은 것으로 바꾼다.
- 잘 흘러내리는 흙으로 바꾼다.

※ 유창성 [6점]

총체적 채점 기준	점수
세 가지 방법을 서술한 경우	6점
두가지 방법을 서술한 경우	4점
한 가지 방법을 서술한 경우	2점

※ 독창성 및 융통성 [4점]

요소별 채점 기준	점수
물을 변화시킨 경우	2점
흙을 변화시킨 경우	2점

[해설] 흙 언덕에 물을 붓기 전에는 세모 모양으로 산과 비슷하지만, 물을 부으면 흙 언덕의 윗부분은 물에 의해 깎여(침식 작용) 무너져 내리고 깎인 흙은 물길을 따라 운반되다가(운반 작용) 아랫부분에 쌓인다(퇴적 작용).

정답 및 해설

09

❶ 자석의 힘이 통과하는 종이를 끼웠을 때는 클립이 공중에 떠 있지만, 자석의 힘이 통과하지 않는 철판을 끼웠을 때는 클립이 바닥으로 떨어진다.

요소별 채점 기준	점수
클립의 변화를 바르게 서술한 경우	3점
이유를 바르게 서술한 경우	3점

❷

• 지갑 중 마그네틱 선이 위치한 부분에 철판이나 철망을 붙여 외부 자석의 영향을 받지 않도록 한다.

• 지갑에 금속 장식품을 붙여 외부 자석의 영향을 받지 않도록 한다.

• 지갑에 철가루를 코팅한 비닐을 붙여 외부 자석의 영향을 받지 않도록 한다.

요소별 채점 기준	점수
아이디어가 구체적인 경우	4점
이유를 바르게 서술한 경우	4점

[해설]

❶ 자석의 N극에서 나온 자기력선은 모두 S극로 들어간다. 자석의 힘은 유리, 플라스틱, 알루미늄, 구리 등을 통과해서도 작용하며 물속에서도 작용한다. 그러나 자석과 철 조각 사이에 철판을 넣으면 자석의 자기력선이 철판을 뚫고 나갈 수 없으므로 철판으로 자석의 힘을 끊을 수 있다. 철판은 자기력선을 잘 통과시키지 못하므로 자기력선이 철판을 뚫고 공기 중으로 나오지 않고 철판을 타고 흐른다. 철판이 자기력선을 통과시키지 않고 흡수해 버리면 자기력선이 클립에 영향을 미치지 못하므로 클립이 끌려오지 않고 떨어진다.

❷ 자석이나 자화된 물체의 자기력선을 잘 통과시키지 못하는 철과 같은 물질로 둘러싸면 외부 자석의 영향을 받지 않는다. 이러한 현상을 이용해 지갑을 설계한다. '지갑을 철로 만든다'와 같은 실용적이지 못한 답은 0점 처리한다.

10

❶ 겨울에 바위 틈이나 땅 사이에 있던 물이 얼면서 틈이 팽창했다가 얼음이 녹으면 바위 사이의 지지력이 약해지고 지반이 약해져서 돌이 흘러내리거나 떨어진다.

물  얼음

요소별 채점 기준	점수
물이 얼 때 부피가 팽창함을 서술한 경우	3점
얼음이 녹으면 지반이 약해짐을 서술한 경우	3점

❷

- 나무를 심어 식물 뿌리가 돌을 보호하여 낙석이 발생하는 것을 막는다.
- 낙석이 떨어지지 않도록 터널처럼 덮개를 만든다. ➡ 피암터널
- 낙석이 떨어지지 않도록 지붕을 만든다. ➡ 지붕형 피암터널
- 철망 울타리를 만들어 낙석의 충격을 흡수함으로써 낙석으로 인한 피해를 막는다. ➡ 낙석방지울타리
- 낙석이 도로로 떨어지는 것을 막기 위해 옹벽을 설치한다. ➡ 낙석방지 옹벽
- 낙석이 생기는 것을 억제하고 낙석이 떨어져 튀지 않도록 그물을 쳐서 덮는다. ➡ 낙석방지망
- 낙석이 자주 발생하는 곳에 낙석주의표를 설치하여 주의하도록 알린다.
- 낙석이 발생하면 낙석을 빨리 치워 2차 피해를 막는다.

총체적 채점 기준	점수
세 가지 방법을 서술한 경우	8점
두 가지 방법을 서술한 경우	5점
한 가지 방법을 서술한 경우	1점

[해설]

❶ 낙석은 겨울에 얼어붙었던 암석이 봄철에 기온이 올라가 녹거나 여름철에 비가 많이 내릴 때 발생하는 자연적인 현상이다.

❷ 낙석으로 인한 불편과 사고를 줄이기 위한 방법들

❶ 피암터널 ❶ 지붕형 피암터널 ❶ 낙석방지옹벽

❶ 낙석방지울타리 ❶ 낙석방지망 ❶ 낙석주의표

문항 구성 및 채점표

평가영역 / 문항	과학 사고력		과학 창의성		과학 STEAM	
	개념 이해력	탐구 능력	유창성	독창성 및 융통성	문제 파악 능력	문제 해결 능력
11	점					
12		점				
13	점					
14	점					
15			점	점		
16			점	점		
17			점	점		
18			점	점		
19					점	점
20					점	점

평가영역별 점수	개념 이해력	탐구 능력	유창성	독창성 및 융통성	문제 파악 능력	문제 해결 능력
	과학 사고력		과학 창의성		과학 STEAM	
	/ 40점		/ 30점		/ 30점	

총점	

평가 결과에 따른 학습 방향

사고력	35점 이상	정확하게 답안을 작성하는 연습을 하세요.
	24~34점	교과 개념과 연관된 응용문제로 문제 적응력을 기르세요.
	23점 이하	틀린 문항과 관련된 교과 개념을 다시 공부하세요.
창의성	26점 이상	보다 독창성 및 융통성 있는 아이디어를 내는 연습을 하세요.
	18~25점	다양한 관점의 아이디어를 더 내는 연습을 하세요.
	17점 이하	적절한 아이디어를 더 내는 연습을 하세요.
STEAM	26점 이상	답안을 보다 구체적으로 작성하는 연습을 하세요.
	18~25점	문제 해결 방안의 아이디어를 다양하게 내는 연습을 하세요.
	17점 이하	실생활과 관련된 과학 기사로 과학적 사고를 확장하는 연습을 하세요.

11

❶ '솔' 음이 나는 유리컵의 물의 양보다 물을 많이 넣는다.

❷ 젓가락으로 유리컵을 더 세게 두드린다.

요소별 채점 기준	점수
'미' 음을 만드는 방법을 바르게 서술한 경우	4점
'솔' 음을 더 크게 내는 방법을 바르게 서술한 경우	4점

[해설]

❶ 젓가락으로 유리컵을 두드리면 유리컵과 물이 진동하며 소리를 만든다. 진동하는 횟수가 적을수록 낮은 음이 나고 진동하는 횟수가 많을수록 높은 음이 난다. 무거울수록 진동 횟수가 적어지므로 낮은 음이 난다.

❷ 진동하는 정도(진폭)가 클수록 큰 소리가 나고 진폭이 작을수록 작은 소리가 난다.

12

• **실험 방법**

① 페트병에 압축 마개를 끼운 후, 전자저울에 올려놓고 무게를 측정한다.

② 압축 마개를 사용하여 페트병에 공기를 가득 넣은 후, 전자저울에 올려놓고 무게를 측정한다.

• **예상되는 결과** : 압축 마개로 페트병에 공기를 넣으면 무게가 더 많이 나갈 것이다.

• **실험 방법**

① 공기가 든 공을 전자저울에 올려놓고 무게를 측정한다.

② 공의 공기를 조금 빼내어 물렁하게 만든 후, 전자저울에 올려놓고 무게를 측정한다.

③ 펌프로 공에 공기를 넣어 팽팽하게 만든 후, 전자저울에 올려놓고 무게를 측정한다.

• **예상되는 결과** : 공기를 뺀 물렁한 공은 처음 공보다 무게가 적게 나가고, 공기를 넣어 팽팽하게 만든 공은 처음 공보다 무게가 더 많이 나갈 것이다.

요소별 채점 기준	점수
실험 설계를 바르게 한 경우	4점
결과를 바르게 서술한 경우	4점

정답 및 해설

[해설] 압축 마개를 사용하여 페트병에 공기를 넣으면 압축 마개를 끼운 페트병의 무게가 처음 보다 많이 나간다. 공기를 많이 넣을수록 무게가 더 많이 나간다. 이 실험을 통해 공기는 무게가 있음을 확인할 수 있다. 공기는 하늘 높이까지 존재한다. 실제로 머리 둘레가 55 cm인 사람의 머리를 누르는 공기의 무게는 290 kg 정도 되는데, 이 무게는 다 큰 돼지 한 마리의 무게와 비슷하다. 그러나 몸속에서 공기의 힘과 똑같은 힘이 바깥쪽을 향해 작용하고 있기 때문에 우리는 공기의 무게를 느끼지 못한다.

모범답안

13

- 등에 있는 혹에 양분을 저장해 놓고 물과 먹이가 부족할 때 에너지로 사용한다.
- 다리가 길어 땅바닥의 뜨거운 열기를 피할 수 있다.
- 발이 넓어 걸을 때 모래에 빠지지 않는다.
- 눈썹이 길어 강한 햇빛과 모래 먼지로부터 눈을 보호한다.
- 콧구멍을 자유롭게 여닫을 수 있어 모래바람이 불 때 모래가 코로 들어가는 것을 막는다.
- 귀에 털이 빽빽하게 나 있어 귀에 모래가 들어가는 것을 막는다.
- 입술이 두꺼워 선인장처럼 가시가 있는 식물도 먹을 수 있다.
- 수분 손실을 최소화하기 위해 건조한 배설물을 배설한다.

총체적 채점 기준	점수
세 가지를 바르게 서술한 경우	6점
두 가지를 바르게 서술한 경우	4점
한 가지를 바르게 서술한 경우	2점

[해설]

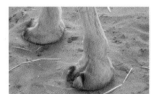
○ 낙타 발

○ 낙타 콧구멍

○ 낙타 눈썹

모범답안

14 히말라야 산맥은 아주 먼 옛날에는 바다였고 지각 변동으로 솟아올라 산이 되었기 때문이다.

요소별 채점 기준	점수
옛날에는 바다였음을 서술한 경우	4점
솟아 올랐음을 서술한 경우	4점

[해설] 7,000만 년 전 인도 대륙판은 적도를 지나 북쪽으로 이동하여 약 5,000만 년 전에 유라시아 대륙판과 충돌하였다. 인도 대륙판이 계속해서 밀어붙이자 두 대륙의 가장자리가 으깨지면서 서로 맞붙어 올라가 두꺼워졌다. 그 결과 생성된 것이 지금의 히말라야 산맥이다. 히말라야뿐만 아니라, 알프스, 로키, 안데스의 거대한 산맥들도 과거에는 모두 바다였다. 지구의 지각 변동으로 인해 바다였던 곳이 솟아올라 지금은 육지의 높은 산이 되었다. 지구의 변화는 지금보다 옛날로 갈수록 심했었다.

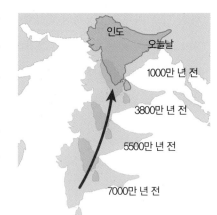

15

- 학교 주변의 시끄러운 소리가 나는 공장에 방음 시설을 설치한다.
- 학교 주변에 방음벽, 방음림, 방음둑을 설치한다.
- 학교 주변에서는 경적 소리를 내지 못하게 하고 속도를 제한한다.
- 학교 주변 공사 현장의 작업 시간을 조절한다.

※ 유창성 [6점]

총체적 채점 기준	점수
세 가지 방법을 서술한 경우	6점
두 가지 방법을 서술한 경우	4점
한 가지 방법을 서술한 경우	2점

※ 독창성 및 융통성 [4점]

요소별 채점 기준	점수
소리의 발생을 막은 경우	2점
소리의 전달을 막은 경우	2점

[해설] 소리에 대한 반응 속도, 주의력, 기억력을 실험한 결과 65 dB까지는 시끄러워도 집중하려는 노력을 보였지만, 그 이상의 소음에서는 집중하려는 노력조차 소용이 없었다. 65 dB은 일상적인 대화를 나눌 때 들리는 소리의 크기이다. 이 정도의 소리도 끊임없이 들리면 문제가 된다. 현재 학교 실내의 소음 기준은 55 dB 이하이며, 학교 밖은 낮에 65 dB, 야간에는 50 dB 이하이다.

⊙ 방음벽

⊙ 방음림

⊙ 방음둑

정답 및 해설

16

- 페트병 아래에 구멍을 뚫어 페트병 안의 공기가 밖으로 나갈 수 있게 한다.
- 페트병 입구에 빨대를 꽂아 페트병 안의 공기가 밖으로 나갈 수 있게 한다.
- 페트병을 차가운 물에 담가 페트병 안의 공기 부피를 작게 하여 압력을 낮춘다.
- 페트병을 냉동실에 넣어 페트병 안의 공기 부피를 작게 하여 압력을 낮춘다.
- 페트병을 물속 깊은 곳으로 가져가 페트병 밖의 압력을 증가시킨다.

※ 유창성 [6점]

총체적 채점 기준	점수
세 가지 방법을 서술한 경우	6점
두 가지 방법을 서술한 경우	4점
한 가지 방법을 서술한 경우	2점

※ 독창성 및 융통성 [4점]

요소별 채점 기준	점수
공기를 밖으로 내보내는 경우	2점
온도나 압력을 변화시킨 경우	2점

[해설] 눈에 보이지 않는 공기도 부피를 차지하기 때문에 페트병에 끼운 풍선은 불어도 더 이상 커지지 않는다. 병 속의 공기를 밖으로 나가게 하거나 병 속의 압력을 낮추는 방법을 이용하면 풍선을 불 수 있다.

17

- 지느러미가 없어지고 다리가 생기거나 뱀처럼 기어 다닐 것이다.
- 아가미가 없어지고 폐와 같은 호흡 기관이 생길 것이다.
- 옆줄의 기능이 없어지고 눈, 코, 입, 귀, 피부 등의 다른 감각 기관이 발달할 것이다.
- 부력을 조절하는 부레가 퇴화될 것이다.
- 체외 수정에서 다른 수정 방식으로 바뀔 것이다.

※ 유창성 [6점]

총체적 채점 기준	점수
세 가지 방법을 서술한 경우	6점
두 가지 방법을 서술한 경우	4점
한 가지 방법을 서술한 경우	2점

※ 독창성 및 융통성 [6점]

요소별 채점 기준	점수
지느러미와 아가미의 변화를 서술한 경우	2점
옆줄과 부레의 변화를 서술한 경우	2점

[해설] 물고기는 물속에서 호흡을 하기 위한 아가미와 헤엄치기 위한 지느러미가 있으며, 물의 저항을 줄이기 위해 몸이 유선형이다. 또한 부레를 통해 부력을 조절해 물속에서 뜨고 가라앉으며, 물의 움직임 변화를 감지하는 옆줄이 있다. 하지만 이런 모든 기능이 육지에서는 필요하지 않기 때문에 많은 변화가 있어야 한다. 물고기의 수정 방식인 체외 수정은 물속에서만 가능하기 때문에 육지로 올라올 경우 다른 방법으로 바뀌어야 한다.

18

- 죽은 생물의 몸에 썩지 않고 오랫동안 남을 수 있는 단단한 부분이 있어야 한다.
- 화석화 작용을 받아 단단해져야 한다.
- 죽은 생물체 위로 재빨리 흙이 덮여 생물체가 훼손되지 않아야 한다.
- 생물체의 수가 많아야 한다.
- 땅 속에 묻혀 있는 동안 뜨거운 열 또는 압력을 받아 없어지거나 손상되지 않아야 한다.

※ 유창성 [6점]

총체적 채점 기준	점수
세 가지 방법을 서술한 경우	6점
두 가지 방법을 서술한 경우	4점
한 가지 방법을 서술한 경우	2점

※ 독창성 및 융통성 [4점]

요소별 채점 기준	점수
단단한 부분을 서술한 경우	2점
생물체의 수를 서술한 경우	2점

[해설] 화석화 작용이란 땅 속에 묻혀 있는 생물체를 이루는 물질과 땅 속에 들어 있는 광물질이 서로 자리를 바꾸거나, 지하수에 녹아 있던 광물질이 생물체의 조직으로 스며드는 것이다. 화석화 과정은 아주 오랜 시간에 걸쳐 천천히 이루어진다. 화석화 작용을 통해서 동물의 뼈나 식물의 조직 대신 광물질들이 들어가기 때문에 화석이 돌처럼 딱딱하게 느껴진다.

19 ❶

- 매년 일반 주택보다 아파트의 수가 늘어나기 때문이다.
- 아파트의 잘못된 설계 때문이다.
- 아파트의 잘못된 시공 때문이다.

총체적 채점 기준	점수
두 가지 이유를 서술한 경우	2점
한 가지 이유를 서술한 경우	2점

❷

- 바닥에 카펫을 깔거나 푹신한 패드를 설치한다. : 카펫이나 패드는 충격을 효과적으로 흡수할 수 있는 바닥 장식재이다. 카펫이나 패드를 이용하면 진동 발생 자체를 줄일 수 있어 층간 소음이 줄어든다.
- 의자의 끝 부분을 테니스공이나 헝겊 등으로 감싸고 바닥이 푹신한 실내화를 신는다. : 바닥과의 충돌에서 발생하는 진동을 줄일 수 있다.
- 세탁기나 러닝머신 등 진동이 발생하는 가정용 기구 아래에 탄성이 큰 고무판이나 스프링이 들어있는 보조 발판을 설치한다. : 진동 발생원과 바닥을 분리하면 진동이 아래로 전달되는 것을 줄일 수 있다.
- 벽면에 흡음 효과가 있는 벽지를 사용하거나 커텐을 사용한다. : 벽지가 아니더라도 벽이 소리를 난반사시켜 흡음이 되지 않도록 하면 벽을 통해 전달되는 진동을 줄일 수 있다.
- 소음을 발생시키는 이웃에게 상황을 잘 설명하고 부탁하는 대화를 시도한다.

총체적 채점 기준	점수
세 가지 방법을 서술한 경우	8점
두 가지 방법을 서술한 경우	5점
한 가지 방법을 서술한 경우	1점

정답 및 해설

[해설]

❶ 90년도 초반까지는 바닥 슬리브 위에 작은 자갈을 깔고 온돌 배관을 설치한 뒤 소음을 차단하고 보온을 했다. 그러나 자갈을 까는 대신 기포 콘크리트 공법을 도입하면서 비용은 싸졌지만 방음에 약해졌다. 기둥이 있는 라멘조 구조 대신 단가가 싼 벽식 구조로 설계하면 넓은 벽면을 타고 소음이 잘 전달된다.

● 라멘조 구조

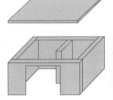 
● 벽식 구조

❷ 건물의 구조를 바꿀 수 없다면 일상생활에서 진동의 원인이 되는 물체를 바닥에서 분리하거나 소리 자체를 흡수하는 부자재를 사용하면 소리의 전달을 줄일 수 있다.

20

예시답안

❶ 생물이 호수나 바다 밑에서 퇴적물에 파묻히고 그 위에 퇴적물이 더 쌓인다. 오랜 시간 동안 퇴적물은 굳어져 퇴적암이 되어 지층을 형성하고 생물의 뼈 부분은 화석화 작용을 받아 단단해진다. 물 밑의 지층이 물 위로 솟아오르고 지층이 깎여 화석이 드러난다.

요소별 채점 기준	점수
생물이 퇴적물에 묻히는 과정을 서술한 경우	2점
화석화 작용을 받는 과정을 서술한 경우	2점
지층이 깎여 화석이 드러남을 서술한 경우	2점

❷
• 발자국 화석의 크기, 발자국이 패인 깊이, 발자국 간의 거리를 바탕으로 공룡의 몸무게와 키를 예상할 수 있다.
• 발자국 화석을 통해 두 발로 걷는 육식 공룡인지 네 발로 걷는 초식 공룡인지 알 수 있다.
• 발바닥의 모양과 발자국 간의 거리를 바탕으로 공룡이 걷는 방식과 걷는 속도를 알 수 있다.

총체적 채점 기준	점수
세 가지 방법을 서술한 경우	8점
두 가지 방법을 서술한 경우	5점
한 가지 방법을 서술한 경우	1점

❶ 발자국이나 피부 자국 같은 흔적은 다른 과정을 거쳐 화석이 된다. 진흙땅에 공룡의 발자국이나 피부 자국이 찍힌 후 땅이 마르면 그 형태가 그대로 남겨진다. 그 위로 많은 흙이 쌓인 후 오랜 시간이 지나면 흙의 무게에 눌려져 단단하게 굳어진 퇴적암이 되고 그 속에 남겨진 자국들도 단단해져서 그 모양을 오래도록 유지한다.

화석화 과정

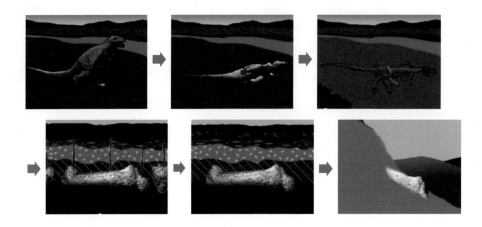

❷ 공룡의 크기를 예측하는 일은 어려운 일이다. 일반적으로 땅으로부터 골반까지의 높이가 공룡의 크기를 나타내며, '공룡의 몸길이＝공룡 발자국의 크기×18'로 계산할 수 있다.

공룡 발자국 화석

문항 구성 및 채점표

평가영역 문항	과학 사고력		과학 창의성		과학 STEAM	
	개념 이해력	탐구 능력	유창성	독창성 및 융통성	문제 파악 능력	문제 해결 능력
21	점					
22		점				
23		점				
24	점					
25			점	점		
26			점	점		
27			점	점		
28			점			
29					점	점
30					점	점

평가영역별 점수	개념 이해력	탐구 능력	유창성	독창성 및 융통성	문제 파악 능력	문제 해결 능력
	과학 사고력		과학 창의성		과학 STEAM	
	/ 40점		/ 30점		/ 30점	

총점	

평가 결과에 따른 학습 방향

사고력	35점 이상	정확하게 답안을 작성하는 연습을 하세요.
	24~34점	교과 개념과 연관된 응용문제로 문제 적응력을 기르세요.
	23점 이하	틀린 문항과 관련된 교과 개념을 다시 공부하세요.

창의성	26점 이상	보다 독창성 및 융통성 있는 아이디어를 내는 연습을 하세요.
	18~25점	다양한 관점의 아이디어를 더 내는 연습을 하세요.
	17점 이하	적절한 아이디어를 더 내는 연습을 하세요.

STEAM	26점 이상	답안을 보다 구체적으로 작성하는 연습을 하세요.
	18~25점	문제 해결 방안의 아이디어를 다양하게 내는 연습을 하세요.
	17점 이하	실생활과 관련된 과학 기사로 과학적 사고를 확장하는 연습을 하세요.

21

용수철의 원래 길이는 6 cm이고 200 g당 1 cm씩 일정하게 늘어난다. 물체 A를 매달았을 때 용수철 길이가 총 11 cm이므로 용수철이 5 cm 늘어났다. 따라서 물체 A의 무게는 200 g×5＝1000 g＝1 kg이다.

요소별 채점 기준	점수
물체 A의 무게를 바르게 구한 경우	4점
풀이 과정을 바르게 쓴 경우	4점

[해설] 용수철로 만든 용수철저울에 물체를 매달면 무게에 따라 용수철이 일정하게 늘어나므로 물체의 무게를 잴 수 있다.

22

① 종이컵에 송곳으로 팥보다 작고 좁쌀보다 크게 구멍을 뚫어 좁쌀을 분리한다.
② 종이컵에 송곳으로 콩보다 작고 팥보다 크게 구멍을 키워 콩과 팥을 분리한다.

요소별 채점 기준	점수
종이컵 한 개로 구멍의 크기를 조절한 경우	4점
구멍의 크기를 좁쌀, 팥, 콩의 크기와 비교하여 설계한 경우	4점

[해설] 먼저 구멍을 좁쌀보다 약간 크게 뚫어 좁쌀을 분리한 후 구멍을 팥보다 약간 크게 키워 팥을 분리하면 종이컵 한 개로 3가지 혼합물을 분리할 수 있다.

정답 및 해설

23

❶ 비가 잘 내리지 않아 물이 부족하기 때문이다.

❷

① 두 개의 페트리 접시에 탈지면을 깔고 강낭콩씨를 다섯 개씩 올려놓는다.

② 페트리 접시 A에만 물을 부어 탈지면이 흠뻑 젖게 한다.

③ 두 개의 페트리 접시를 햇빛이 비치는 따뜻한 곳에 두고 페트리 접시 A에만 물을 주며 일주일 동안 키운다.

페트리 접시 A　　　　페트리 접시 B

페트리 접시 A　　　　페트리 접시 B

요소별 채점 기준	점수
사막에서 식물이 자라기 힘든 이유를 바르게 쓴 경우	3점
실험 설계를 바르게 한 경우	5점

[해설]

❶ 건조기후 지역 중에서도 연 강수량이 250 mm가 되지 않는 곳을 사막기후로 분류한다. 대표적인 사막인 북부 아프리카의 사하라 사막은 연 강수량이 어린아이의 손 한 뼘 정도에 해당하는 120 mm 이하이고, 칠레의 아타카마 사막은 연 강수량이 5 mm 정도밖에 되지 않는다. 아타카마 사막의 황무지는 마치 달의 표면을 보는 것 같다 하여 '달의 계곡'이라고 불린다.

○ 아타카마 사막

❷

• 같게 할 조건 : 공기, 온도, 햇빛 등

• 다르게 할 조건 : 물

• 물은 씨가 발아하는 데 반드시 필요하며 필요한 양은 종류에 따라 다르다. 산소 소비량이 많은 옥수수, 무 등은 물속에 잠기면 싹이 트지 못한다.

24

뜨겁고 많은 양의 화산재가 순간적으로 사람들을 덮은 후 오랜 시간 동안 화산재는 단단하게 굳어지고 내부에서는 분해가 일어났기 때문이다.

요소별 채점 기준	점수
화산재가 순간적으로 사람을 덮음을 서술한 경우	6점
화산재가 단단하게 굳음을 서술한 경우	4점

[해설] 79년 폼페이시와 헤큘래늄시의 많은 시민이 폼페이에서 약 14 km 떨어진 베수비오 화산 폭발에 의해 죽었다. 대부분 떨어지는 재에 묻혀 질식하거나 재 무게에 의해 붕괴된 건물에 깔렸다. 분출된 화산재가 폼페이를 덮쳤고, 사람 몸 주위에 두껍게 쌓였다. 오랜 시간 동안 화산재가 단단하게 굳어지고 사람이 안에서 부패되어 분해되었기 때문에 석고 틀처럼 형태가 유지되었다. 나중에 발굴팀이 그 빈 공간에 석고를 넣어 사람 형태의 모습으로 복원하였다. 화산에 의한 피해는 주로 사람들이 대피하기 전에 덮쳐오는 화산 쇄설물이다. 자동차 크기의 암석 덩어리가 폭발하듯 분출하여 피해를 주기도 하지만 가장 광범위한 피해는 넓게 퍼져서 떨어지는 화산재에 의해 일어난다.

폼페이

25

• 더 무거운 추를 사용한다.

• 손잡이를 물체를 매다는 쪽으로 더 가까이 옮긴다.

※ 유창성 [6점]

총체적 채점 기준	점수
두 가지 방법을 서술한 경우	6점
한 가지 방법을 서술한 경우	3점

※ 독창성 및 융통성 [4점]

요소별 채점 기준	점수
추의 무게를 바꾼 경우	2점
손잡이의 위치를 바꾼 경우	2점

[해설]

• 손잡이를 이동하지 않은 상태에서 두 배 무거운 추를 사용하면 기존보다 두 배 무거운 물체의 무게를 측정할 수 있다.

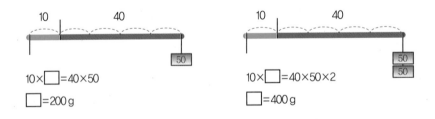

$10 \times \square = 40 \times 50$

$\square = 200$ g

$10 \times \square = 40 \times 50 \times 2$

$\square = 400$ g

• 손잡이를 물체를 매다는 쪽으로 5 cm 이동하면 최대 450 g까지 측정할 수 있다. 물체를 매다는 쪽으로 3 cm 더 이동하면 물체와 손잡이의 거리가 2 cm가 되므로 1200 g까지 측정할 수 있다.

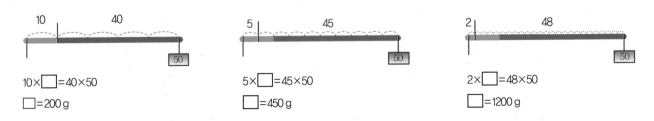

$10 \times \square = 40 \times 50$

$\square = 200$ g

$5 \times \square = 45 \times 50$

$\square = 450$ g

$2 \times \square = 48 \times 50$

$\square = 1200$ g

정답 및 해설

• 대저울은 가벼운 물건만을 측정할 수 있는 맞저울(천칭)의 단점을 보완하여 무겁고 부피가 큰 물건을 측정할 수 있도록 개량한 것이다. 눈금을 매긴 대저울에 물체를 매달고 물체의 무게에 따라 추를 이리저리 움직여서 수평을 이루었을 때, 그 위치의 눈금을 읽어 무게를 측정한다. 대저울은 소칭, 중칭, 대칭으로 분류되는 데 소칭은 주로 약재나 금·은 등의 작은 무게를 다는 데 사용했고, 중칭은 주로 곡물, 야채 등 생활용품을 측정하는 데 사용했다. 대칭은 쌀가마, 보리가마, 돼지 등 주로 무거운 물건을 측정하는 데 사용하였으며 손으로 들 수 없기 때문에 보통 틀에 걸어서 사용했다.

26

• 미세먼지를 걸러낼 수 있는 특수 필터를 추가한다.
• 마스크가 얼굴에 밀착되어 공기가 들어올 수 없는 구조로 만든다.
• 초미세먼지를 제거할 수 있는 정전 필터(정전기로 초미세먼지를 제거)를 추가한다.

예시답안

※ 유창성 [6점]

총체적 채점 기준	점수
두 가지를 추가한 경우	6점
한 가지를 추가한 경우	3점

※ 독창성 및 융통성 [4점]

요소별 채점 기준	점수
마스크에 필터를 추가한 경우	2점
마스크의 구조를 바꾼 경우	2점

[해설] 특수 마스크인 미세먼지 마스크는 일반 마스크보다 더 작은 입자를 걸러내는 특수 필터가 들어 있고, 특수 필터도 통과하는 초미세먼지를 제거할 수 있는 정전 필터가 포함되어 있다. 정전 필터는 정전기를 이용하여 먼지를 흡착하여 제거한다. 마스크를 착용해도 마스크와 얼굴 사이 틈으로 미세먼지가 들어올 수 있으므로 특수 마스크는 틈이 생기지 않는 구조로 되어 있다.

27

• 잎을 모두 떨어뜨린다. : 추위를 덜 타는 가지와 줄기, 뿌리만 남긴다.
• 비늘잎 : 여러 장의 비늘잎이 겹겹이 싸여 있어 추위를 견딘다.
• 뿌리잎 : 눈을 땅 위에 조금 내놓은 채 시든 뿌리잎으로 추위를 난다.
• 땅속뿌리 : 땅 속에 묻힌 뿌리로 겨울을 난다.

예시답안

※ 유창성 [6점]

총체적 채점 기준	점수
세 가지 방법을 서술한 경우	6점
두 가지 방법을 서술한 경우	4점
한 가지 방법을 서술한 경우	2점

※ 독창성 및 융통성 [4점]

요소별 채점 기준	점수
낙엽이나 뿌리잎을 서술한 경우	2점
비늘잎이나 땅속뿌리를 서술한 경우	2점

[해설]

- 잎을 모두 떨어뜨리는 식물 : 단풍나무, 참나무 등

- 비늘잎으로 겨울을 나는 식물 : 개나리, 사과나무, 목련 등

- 뿌리잎으로 겨울을 나는 식물 : 민들레, 엉겅퀴 등

- 땅속뿌리로 겨울을 나는 식물 : 우엉, 인삼 등

❀ 단풍나무 가지   ❀ 목련 비늘잎   ❀ 민들레 뿌리잎   ❀ 우엉 뿌리

한해살이 식물에는 봉숭아, 해바라기, 옥수수, 강아지풀 등이 있으며, 대체로 봄에 싹이 터서 가을에 열매를 맺고, 씨로 겨울을 나며 식물은 수명을 다한다. 여러해살이 식물에는 범부채, 비비추, 감나무, 아까시나무 등이 있으며, 겨울에는 땅 윗부분은 마르고 뿌리만 살아 남아 다음 해에 다시 싹을 틔우는 풀 종류와, 겨울이 되어도 땅 윗부분이 살아 있어 병들어 죽을 때까지 여러 해 동안 계속해서 꽃을 피우고 열매를 맺는 나무 종류가 있다.

예시답안

28

- **지진이 발생하기 전**
  - 내진설계로 건물을 튼튼하게 짓는다.
  - 무거운 물건은 아래쪽으로 내려놓는다.
  - 지진이 일어났을 때 대피할 수 있는 장소를 알아둔다.
  - 구급약품, 비상식량, 손전등, 라디오 등을 준비한다.

- **지진이 발생했을 때**
  - 엘리베이터에 타고 있을 때는 바로 내린다.
  - 낙하물이 있는 곳으로부터 멀리 몸을 피한다.
  - 방석으로 머리를 보호한다.
  - 집안의 전기 안전기를 내려 전기를 차단하고 가스관과 수도관을 잠근다
  - 붕괴 위험이 있는 높은 건물, 넓은 담벼락, 좁은 골목길에서 될 수 있는 대로 건물이 없는 넓은 공터로 대피한다.
  - 건물 안에서 나오지 못할 경우는 튼튼한 가구 밑이나 건물 기둥에 몸을 숨긴다.
  - 바닷가에서는 해일에 대비하여 높은 곳으로 피한다.
  - 공공장소에서는 침착하게 안내원의 지시에 따른다.
  - 휴대용 라디오 등을 통하여 올바른 정보를 파악한다.

정답 및 해설

- **지진이 발생한 후**
  - 서로 다친 곳은 없는지 살펴본다.
  - 부상자는 응급처지를 하되 무리하게 옮기지 않는다.
  - 휴대용 라디오 등으로 방송을 들으면서 상황을 살펴본다.
  - 여진이 더 발생할 수 있으므로 지진에 계속 대비한다.

※ 유창성 [10점]

총체적 채점 기준	점수
모두 세 가지씩 서술한 경우	10점
서술한 한 가지 당 (한항목당 최고 점수는 3점)	1점

[해설] 암석이 힘을 받으면 모양이 변하다가 더 이상 견디지 못하면 약한 부분이 끊어지고 이때 쌓였던 에너지가 방출되면서 땅이 흔들리는 것이 바로 지진이다. 네팔은 거대 지각판인 인도판과 유라시아판이 부딪치는 지점에 위치해 있기 때문에 지진이 잦을 수밖에 없다. 실제로 네팔 지역은 지금까지 수많은 대지진을 겪었다. 1934년에 일어난 규모 8.2의 강진으로 1만 6천 명 이상이 사망했고, 1988년에는 규모 6.8의 지진으로 1000명 이상이 목숨을 잃었다. 이후에도 1993년부터 2011년까지 크고 작은 지진이 끊이지 않고 발생했다. 80년대 이후의 지진들과 비교해 볼 때 특히 이번 지진이 피해가 컸던 이유는 지진의 강도가 세기도 했지만, 진앙지가 지표면에서 불과 15 km 정도의 깊이로 상대적으로 가까웠고 건물의 대부분이 내진설계가 돼 있지 않았기 때문이다. 가장 피해가 컸던 카트만두는 네팔에서 인구밀도가 가장 높은 지역임에도 불구하고 급속한 도시화로 인해 주택이 모자라 대부분의 건물을 흙벽돌로 지었고 소득수준이 낮아 건물의 안전에 많은 비용을 쓰지 않았다.

예시답안

❶ 지구의 중심에서는 모든 방향에서 작용하는 중력이 똑같기 때문에 서로 상쇄되어 합력이 0이 되므로 무중력 상태가 된다.

요소별 채점 기준	점수
중력의 방향을 서술한 경우	3점
합력을 서술한 경우	3점

❷

- 정지해 있는 물체에 용수철저울을 연결하고 용수철저울을 잡아당겼을 때 물체가 움직인 순간 용수철저울의 눈금을 읽는다. 용수철이 많이 늘어날수록 무겁다.
- 같은 힘으로 두 물체를 던졌을 때 빨리 날아가는 것이 더 가볍다.
- 같은 속도로 움직이고 있는 물체를 멈추게 할 때 힘이 많이 드는 물체가 무겁다.
- 용수철저울에 물체를 매달고 돌렸을 때 용수철이 더 많이 늘어나는 물체가 무겁다.

총체적 채점 기준	점수
두 가지 방법을 서술한 경우	8점
한 가지 방법을 서술한 경우	4점

❶ 무중력 상태란 엄밀히 말하자면 중력이 존재하지만 느끼지 못하는 상태이다. 질량이 있는 모든 물체 사이에는 서로 끌어당기는 만유인력이 작용한다. 특히 지구가 물체를 잡아당기는 힘을 중력이라 한다. 정확히는 만유인력과 지구의 자전에 의한 원심력을 더한 힘이다. 중력이 존재하기 때문에 우리는 공중에 떠다니지 않고 지표면에서 생활할 수 있다. 평소에 잘 느껴지지 않지만 지구는 항상 우리를 지구 중심 방향으로 끌어당기고 있다. 일반적으로 중력은 질량이 클수록 크다. 지구보다 질량이 큰 목성에서의 중력은 지구에서의 중력보다 더 크다.

❷ 무중력 상태에서 물체의 질량은 관성을 이용해 알 수 있다. 관성이란 외부의 힘이 없을 경우 운동하는 물체는 현재의 운동 상태를 계속 유지하고 정지해 있는 물체는 계속 정지해 있으려는 성질이다.

예시답안

30

❶ 기름은 물보다 가볍기 때문에 물 위에 떠서 물이 이동하는 방향으로 퍼지기 때문에 오일펜스를 설치하여 기름이 사방으로 넓게 퍼지지 않도록 해야 한다.

요소별 채점 기준	점수
기름이 물에 뜬다고 서술한 경우	3점
기름이 퍼지는 것을 막는다는 내용을 서술한 경우	3점

❷

• 오일펜스를 쳐서 기름이 퍼지는 것을 막고 오일펜스 안에 있는 기름을 퍼 올린다.
• 유화제를 뿌려 기름을 잘게 부수어 물에 녹인다.
• 기름을 분해하는 박테리아를 이용해 잘게 부순 기름 알갱이들을 분해한다.
• 기름을 포함한 물을 빨아올린다.
• 기름을 태운다.
• 흡착포로 물에 뜬 기름을 흡수하고 물체에 묻은 기름을 닦아낸다.
• 기름을 응고시키는 물질을 뿌려 기름을 고체로 변화시킨 후 걷어낸다.

총체적 채점 기준	점수
다섯 가지 방법을 서술한 경우	8점
네 가지 방법을 서술한 경우	6점
세 가지 방법을 서술한 경우	4점
두 가지 방법을 서술한 경우	2점
한 가지 방법을 서술한 경우	1점

[해설]

❶ 유출된 기름은 해상의 기상 조건에 따라 빠른 속도로 넓은 지역으로 확산된다. 약 100 L의 기름은 0.1 μm(마이크로미터, 1 μm=0.001 mm) 두께로 1 km²의 수면을 덮을 수 있다. 기름은 바다 표면에 수백 μm의 얇은 기름 막을 형성하여 넓게 확산되므로 바닷속의 생물이 태양 광선이나 공기 중의 산소와 접하는 것을 어렵게 한다. 따라서 이런 상황이 계속된다면 수중의 산소를 다 소모한 생물은 죽게 된다. 또 표면의 기름 막을 제거한다고 해도 끈적끈적한 덩어리 상태로 해저에 가라앉아 바다를 오염시킨다.

❷

• 계획적으로 화재를 일으키는 것은 많은 양의 기름을 제거하는데 효과적일 수 있지만, 이 방법은 바람이 약하게 불 때만 가능하며 대기 오염을 일으킬 수 있다.

• 기름 응고제는 기름을 흡착 및 흡수하는 소수성의 고분자들로 이루어진 제품이다. 기름 응고제는 유출된 액체 상태의 기

정답 및 해설

름을 물리적으로 물에 뜨는 고무와 같은 고체 물질로 변화시켜 유출된 기름을 제거한다. 기름 응고제는 물에 녹지 않기 때문에 응고시킨 기름을 제거하기 쉽고 가라앉지 않는다. 기름 응고제는 해양 생물들과 야생동물들에게 무해한 것으로 입증되었으며 벤젠, 크실렌, 메틸에틸, 아세톤과 나프타와 같은 탄화수소에 포함되어 있는 유해한 휘발성 물질의 휘발도 억제한다.

- 어떤 경우에서는 자연 분해를 기다리는 것이 최상의 효과를 거둘 수도 있다.

과학 4강

문항 구성 및 채점표

평가영역 / 문항	과학 사고력		과학 창의성		과학 STEAM	
	개념 이해력	탐구 능력	유창성	독창성 및 융통성	문제 파악 능력	문제 해결 능력
31	점					
32		점				
33		점				
34	점					
35			점	점		
36			점	점		
37			점	점		
38			점	점		
39					점	점
40					점	점

평가영역별 점수	개념 이해력	탐구 능력	유창성	독창성 및 융통성	문제 파악 능력	문제 해결 능력
	과학 사고력		과학 창의성		과학 STEAM	
	/40점		/30점		/30점	

총점	

평가 결과에 따른 학습 방향

사고력	35점 이상	정확하게 답안을 작성하는 연습을 하세요.
	24~34점	교과 개념과 연관된 응용문제로 문제 적응력을 기르세요.
	23점 이하	틀린 문항과 관련된 교과 개념을 다시 공부하세요.

창의성	26점 이상	보다 독창성 및 융통성 있는 아이디어를 내는 연습을 하세요.
	18~25점	다양한 관점의 아이디어를 더 내는 연습을 하세요.
	17점 이하	적절한 아이디어를 더 내는 연습을 하세요.

STEAM	26점 이상	답안을 보다 구체적으로 작성하는 연습을 하세요.
	18~25점	문제 해결 방안의 아이디어를 다양하게 내는 연습을 하세요.
	17점 이하	실생활과 관련된 과학 기사로 과학적 사고를 확장하는 연습을 하세요.

정답 및 해설

잔잔한 호수면은 마치 거울과 같이 빛을 일정한 방향으로 반사시키므로 물체가 잘 보이지만, 물결이 치는 호수면은 표면이 울퉁불퉁하여 반사된 빛이 모든 방향으로 퍼지므로 물체가 잘 보이지 않는다.

모범답안

요소별 채점 기준	점수
잔잔한 호수면은 빛을 일정한 방향으로 반사시킨다고 서술한 경우	4점
출렁이는 호수면은 빛을 모든 방향으로 반사시킨다고 서술한 경우	4점

[해설] 물체가 일정한 방향으로 빛을 반사시키는 것을 정반사라고 하고 일정한 방향에서만 물체를 볼 수 있다. 반대로 물체의 표면이 울퉁불퉁해 반사된 빛이 여러 방향으로 흩어지는 것을 난반사라고 하고 여러 방향에서 물체를 볼 수 있다. 정반사와 난반사 모두 입사각과 반사각이 같은 반사의 법칙이 성립한다.

◆ 정반사

◆ 난반사

모범답안

32

❶ 물이 얼면 부피가 늘어나 같은 무게의 물보다 가벼워지므로 얼음이 물 위에 뜬다.

❷
① 플라스틱 시험관에 물을 반 정도 넣은 후 높이를 표시하고 마개를 막은 후 무게를 측정한다.
② 비커에 잘게 부순 얼음과 소금을 넣고 잘 섞은 후 물이 든 시험관을 꽂아 얼린다.
③ 물이 완전히 얼면 시험관을 꺼내어 물의 높이와 무게를 비교한다.

요소별 채점 기준	점수
빙산이 물에 뜨는 이유를 서술한 경우	3점
실험을 바르게 설계한 경우	5점

[해설]

❶ '밀도＝질량÷부피'이다. 밀도가 클수록 아래에 위치하고 밀도가 작을수록 위쪽에 위치한다. 같은 질량의 물을 얼리면 얼음이 되면서 부피가 10 % 증가하므로 밀도가 10 % 감소한다.

❷ 같은 무게의 물을 액체 상태와 고체 상태일 때 부피를 비교한다.

33

- 물에 잘 뜨기 위해 잎이 넓적하고 얇고 가볍다.
- 물에 잘 뜨기 위해 공기주머니를 가지고 있다.
- 출렁이는 물에 의해 뒤집어지지 않기 위해 뿌리가 길다.

모범답안

총체적 채점 기준	점수
세 가지 방법을 쓴 경우	8점
두 가지 방법을 쓴 경우	5점
한 가지 방법을 쓴 경우	1점

[해설] 물위에 사는 식물은 대부분 줄기가 잘 발달하지 않고 뿌리와 잎이 발달했으며, 뿌리가 땅에 고정되어 있지 않아 물의 움직임에 따라 같이 떠돌아다닌다. 개구리밥은 옆상체(잎처럼 보이는 것) 뒤쪽에 공기주머니가 있고 부레옥잠은 잎자루에 공기주머니가 있어 물에 잘 뜬다.

34 달에는 물과 공기가 없기 때문에 비와 바람에 의한 풍화 현상이 일어나지 않아 한번 찍힌 발자국이 없어지지 않고 그대로 남아 있다.

모범답안

요소별 채점 기준	점수
달에는 물과 공기가 없음을 서술한 경우	4점
풍화 현상이 일어나지 않음을 서술한 경우	4점

[해설] 달 표면은 우주에서 운석이 떨어져 생긴 둥근 모양의 수많은 운석 구덩이로 덮여있는데 이 또한 달에 물과 공기가 없기 때문에 오랜 시간 그대로 남아 있다.

정답 및 해설

35

- 전등은 전등과 물체의 거리에 따라 그림자의 크기가 달라지지만 햇빛은 거리에 따라 그림자의 크기가 달라지지 않고 일정하다.
- 햇빛을 이용하면 낮에만 연극을 할 수 있지만, 전등은 밤에도 가능하다.
- 햇빛은 방향과 세기가 시간에 따라 일정하게 달라지지만 전등은 빛의 방향과 세기를 상황에 맞게 조절할 수 있다.

※ 유창성 [6점]

총체적 채점 기준	점수
세 가지 차이점을 서술한 경우	6점
두 가지 차이점을 서술한 경우	4점
한 가지 차이점을 서술한 경우	2점

※ 독창성 및 융통성 [4점]

요소별 채점 기준	점수
그림자의 크기를 서술한 경우	2점
연극 시간을 서술한 경우	2점

[해설] 그림자는 빛이 물체에 의해 가려져 도달하지 못하는 부분에 생긴다.

- 그림자의 크기는 물체와 광원이 수직일 때 물체와 광원의 거리가 짧고 물체와 스크린의 거리가 길수록 커진다. 그러나 햇빛의 경우 물체를 햇빛과 수직으로 놓고 물체와 스크린 사이를 가까이 해도 그림자의 크기가 변하지 않는다. 지구와 태양의 거리가 아주 멀기 때문에 지구에 오는 태양빛은 거의 평행에 가깝고 물체와 스크린 사이의 거리보다 물체와 광원 사이의 거리가 매우 멀기 때문이다.

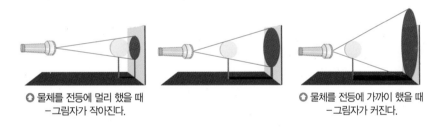

○ 물체를 전등에 멀리 했을 때
－그림자가 작아진다.

○ 물체를 전등에 가까이 했을 때
－그림자가 커진다.

- 그림자의 길이는 광원과 이루는 각도에 따라 달라진다. 광원이 수직으로 비추면 그림자의 길이가 짧고 광원이 비스듬히 비추면 그림자의 길이가 길어진다. 태양이 수직으로 비추는 낮에는 그림자의 길이가 짧고, 태양이 비스듬히 비추는 아침이나 저녁에는 그림자의 길이가 길어진다.

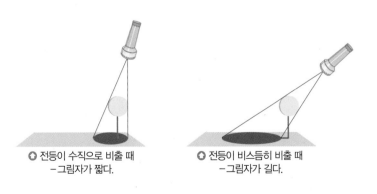

○ 전등이 수직으로 비출 때
－그림자가 짧다.

○ 전등이 비스듬히 비출 때
－그림자가 길다.

그림자 연극

36

- 젖은 옷 앞에 선풍기를 틀어 놓는다. 바람이 불면 증발한 수증기가 다른 곳으로 이동하므로 습도가 낮아져 증발이 잘 일어난다.
- 창문을 열어둔다. 젖은 옷에서 증발한 수증기가 밖으로 빠져나가면 습도가 낮아지므로 증발이 잘 일어난다.
- 습기를 빨아들이는 제습기를 켠다. 습도가 낮아져 증발이 잘 일어난다.
- 젖은 옷을 최대한 넓게 펴서 건조대에 넌다. 표면적이 넓으면 증발이 잘 일어난다.
- 젖은 옷을 널 때 간격을 넓게 한다. 젖은 옷에서 증발한 수증기가 주위로 빨리 퍼져 습도가 낮아져 증발이 잘일어난다.
- 젖은 옷을 널고 젖은 옷 사이에 신문지를 놓는다. 신문지가 수분을 흡수하므로 증발이 잘 일어난다.
- 낮에 말린다. 공기의 온도가 높으면 증발이 잘 일어난다.
- 젖은 옷을 타월과 함께 물기를 짠 후 넌다. 타월이 물기를 흡수하므로 증발해야 할 물의 양이 줄어든다.
- 마지막 탈수하기 전 따뜻한 물로 헹군다. 옷이 따뜻하면 증발이 잘 일어난다.

※ 유창성 [6점]

총체적 채점 기준	점수
다섯 가지 방법을 서술한 경우	6점
네 가지 방법을 서술한 경우	4점
세 가지 방법을 서술한 경우	2점
한두 가지 방법을 서술한 경우	1점

※ 독창성 및 융통성 [4점]

요소별 채점 기준	점수
습도를 낮출 수 있는 방법을 서술한 경우	2점
표면적을 크게 하는 방법을 서술한 경우	2점

[해설] 증발은 햇빛이 강할수록, 온도가 높을수록, 건조할수록, 바람이 불수록, 압력이 낮을수록 잘 일어난다.

37

- 독성 물질을 이용해 천적이나 해충으로부터 자신을 보호한다.
- 잔디처럼 잎 가장자리에 날카로운 칼날을 만든다.
- 쐐기털처럼 온몸에 독털을 만든다.
- 옥수수나 면화 등의 식물은 해충이 자신을 갉아먹는 것을 알아차리면 특수한 기체를 방출하여 이웃집 말벌에게 구조를 요청한다. 말벌이 달려와 잎을 갉아먹는 애벌레를 잡아먹는다.
- 담배는 바이러스가 자신에게 침범하면 경보 물질을 발산해 이웃 담배들이 대비하도록 한다. 이웃 담배는 그 신호를 받아서 면역 물질을 만든다.
- 양파나 마늘처럼 몸에 상처가 나면 매운 냄새를 낸다.
- 소나무처럼 몸에 상처가 나면 피톤치드와 송진을 뿜는다. 등

※ 유창성 [6점]

총체적 채점 기준	점수
다섯 가지 방법을 서술한 경우	6점
네 가지 방법을 서술한 경우	4점
세 가지 방법을 서술한 경우	2점
한두 가지 방법을 서술한 경우	1점

※ 독창성 및 융통성 [4점]

요소별 채점 기준	점수
독성 물질을 서술한 경우	2점
주위에 자신의 상황을 알리는 방법을 서술한 경우	2점

[해설]

○ 쐐기털 독털

○ 소나무 송진

정답 및 해설

예시답안

38
- 한 방향으로만 가도 지구 한 바퀴를 돌 수 있다.
- 월식 때 달에 비친 지구의 그림자가 둥글다.
- 항구로 들어오는 배는 위부터 보이고, 항구에서 나가는 배는 아래부터 사라진다.
- 지면에서 높은 곳으로 올라갈수록 보이는 땅의 면적이 넓어진다.

※ 유창성 [6점]

총체적 채점 기준	점수
세 가지 증거를 서술한 경우	6점
두 가지 증거를 서술한 경우	4점
한 가지 증거를 서술한 경우	2점

※ 독창성 및 융통성 [4점]

요소별 채점 기준	점수
월식 때 달에 비친 지구 그림자를 서술한 경우	2점
높이와 보이는 면적의 관계를 서술한 경우	2점

[해설] 우리가 살고 있는 지구는 둥근 모양이다. 지구 생성 과정 초기에 성간 물질들이 뭉쳐 원반 모양의 회전체를 이루면서 주변의 물질들을 지구 중심으로 끌어당겼다. 지구 중심에 모인 것들이 점점 커지면서 무거운 물질은 중심에 가라앉고 가벼운 물질은 바깥에 모여 둥근 모양의 지구가 되었다. 결국 지구 중심으로 끌어당기는 힘인 중력 때문에 지구는 둥글다. 중심으로부터 어느 쪽으로도 치우치지 않은 도형은 공과 같은 구이다. 따라서 중력에 의해 지구, 달, 태양은 둥근 모양을 갖는다. 몇몇 소행성의 경우 중력이 약해서 둥근 구 모양이 아닌 여러 가지 모양을 가지기도 한다.

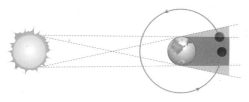

◐ 월식 때 달에 비친 지구 그림자

◐ 항구로 들어오는 배가 보이는 모습

◐ 아래에서 본 동강 모습   ◐ 산 위에서 본 동강의 모습

39

예시답안

❶ 물체에 의해 반사되거나 굴절된 빛이 수정체를 통과하여 우리 눈 속에 있는 망막에 상이 맺히면 그곳과 연결된 시신경에 의해 뇌로 전달되어 물체를 본다.

요소별 채점 기준	점수
물체에서 반사된 빛을 서술한 경우	3점
망막에 맺힌 후시신경에 의해 뇌로 전달됨을 서술한 경우	3점

❷

- 항공기 표면에 레이더 전파를 휘게 하는 물질을 발라 전파를 뒤쪽으로 보내어 표면에서 반사되지 않게 한다.
- 항공기의 표면에 레이더 전파를 흡수할 수 있는 물질이 포함된 페인트를 바른다.
- 레이더 전파를 흡수할 수 있도록 항공기 표면을 검은색으로 만든다.
- 항공기를 납작한 평면 모양으로 만들어 빛과 전파를 다른 방향으로 반사시켜 레이더 수신기에 잡히지 않게 한다.
- 레이더 전파의 반사 면적을 줄이기 위해서 항공기를 각지게 만든다.
- 동그란 미사일을 항공기 내부에 설치하여 반사 면적을 줄인다.
- 항공기를 반사가 잘 되지 않는 나무와 같은 물질로 만든다.

총체적 채점 기준	점수
세 가지 원리를 서술한 경우	8점
두 가지 원리를 서술한 경우	5점
한 가지 원리를 서술한 경우	1점

[해설]

❶ 사람이 물체를 보기 위해 꼭 필요한 것은 수정체, 망막, 시신경이다. 이 중 수정체와 시신경은 투명해도 상관이 없지만 망막까지 투명하다면 빛이 망막을 통과해 버려 물체의 상이 맺히지 않으므로 물체를 볼 수 없다. 또한 빛은 우리 눈의 렌즈인 수정체를 통해 굴절되어 망막에 상으로 맺힌다. 수정체가 완전히 보이지 않으려면 수정체의 굴절률이 공기의 굴절률과 같아야 한다. 그렇게 되면 빛이 굴절이 되지 않아 망막에 상이 맺히기 어렵다. 유리는 투명하여 빛을 통과시키지만 우리가 유리의 모양이 어떤지 볼 수 있는 것은 유리와 공기의 굴절률이 다르기 때문에 일부 빛이 반사되기 때문이다. 그 외에도 체온 때문에 적외선 카메라에 나타나는 모습, 투명인간이 먹은 음식물이 소화기관을 통해 내려가는 모습 등의 이유 때문에 투명 인간은 공상 과학 속에서만 존재하는 상상의 인간이라고 할 수 있다.

메타물질

❷ 스텔스 기술은 레이더 반사 면적을 줄여 작은 물체인 것처럼 보이게 하는 것이다. 레이더 반사 면적을 줄이는 방법은 스텔스 페인트를 사용해 레이더 전파를 흡수하거나 항공기에 일정한 경사각을 만들어 레이더 전파가 산란되어 레이더 수신기로 되돌아가는 정도를 적게 한다. 레이더 전파는 직선일 때보다 곡선(원형과 원뿔) 표면에서 반사되어 잘 돌아오므로 항공기를 각지게 만들면 반사되어 돌아가는 레이더 전파의 양을 줄일 수 있다. 항공기 표면에 바르는 스텔스기 페인트의 레이더 전파 흡수물질을 RAM이라고 하는데 전파 에너지를 열에너지로 변환한다.

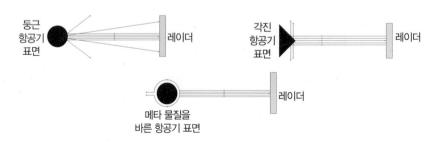

정답 및 해설

스텔스기는 반사 면적을 줄이기 위해 동그란 미사일을 항공기 내부에 설치하므로 낙하지점에서 몸통 아래에 문을 활짝 열고 미사일을 떨어뜨린다.

40

❶ 연잎 표면에 있는 무수한 미세 돌기들이 물이 퍼지지 않고 방울지게 만들기 때문이다.

요소별 채점 기준	점수
연잎의 미세 돌기와 물의 관계를 바르게 서술한 경우	4점
물이 방울진다고 서술한 경우	2점

❷

• 비를 맞거나 물을 뿌리면 먼지가 깨끗하게 떨어지는 페인트를 만들어 건물 벽, 자동차 등에 발라 물방울이 맺히지 않게 하고 항상 깨끗함을 유지하도록 한다.

• 콜라나 커피가 쏟아져도 툭툭 털어내면 깨끗해지는 기능성 의류

• 빨래가 필요 없는 옷

• 방수 되는 스마트폰

• 흙탕물이 튀어도 흘러내려 더러워지지 않는 운동화

• 더러운 물이 묻어도 흘러내려 더러워지지 않는 장갑

• 물과 만나지 않으므로 녹이 슬지 않는 금속 제품

• 자동차 유리에 물이 달라붙지 못하도록 뿌리는 나노 폼

• 음식물이 타거나 달라붙지 않는 프라이팬

• 비와 흙탕물 등을 막을 수 있는 나노 코팅을 한 아웃도어(골프, 캐주얼웨어 등) 의류

총체적 채점 기준	점수
다섯 가지 방법을 서술한 경우	8점
네 가지 방법을 서술한 경우	6점
세 가지 방법을 서술한 경우	4점
두 가지 방법을 서술한 경우	2점
한 가지 방법을 서술한 경우	1점

[해설]

❶ 연잎의 표면을 전자현미경으로 확대해 보면 10~20 μm(마이크로미터, 1 μm=0.001 mm)의 돌기가 있고 그 위에 100 nm (나노미터, 1 nm=1/10억 m) 정도의 나노 털들이 덮여 있는 것을 관찰할 수 있다. 연잎의 표면을 이루는 왁스 성분이 마이크로 크기와 나노 크기의 복합 미세구조물을 이루고 있고 연잎에 맺히는 물이 퍼지지 않고 굴러다니면서 표면의 모래나 먼지를 닦도록 만들어 준다. 보통 바닥면 위에 물방울이 놓여 있을 때 물방울의 옆면이 바닥과 접촉하는 각도가 30° 이하이면 친수성, 60°보다 크면 소수성을 띤다고 말한다. 그런데 연잎 바닥면이 물방울과 접촉하는 각도는 150° 이상이므로 '초소수성'이라고 한다.

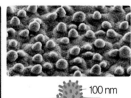
100 nm
10 μm

30°
친수성
60°
소수성
150°
초소수성
연잎
초소수성

❷

🔹 항상 깨끗함을 유지하는 자동(우)

🔹 물에 젖지 않는 벤치 의자

🔹 항상 깨끗함을 유지하는 운동화(우)

🔹 항상 깨끗함을 유지하는 장갑(우)

문항 구성 및 채점표

평가영역 문항	과학 사고력		과학 창의성		과학 STEAM	
	개념 이해력	탐구 능력	유창성	독창성 및 융통성	문제 파악 능력	문제 해결 능력
41	점					
42	점					
43		점				
44		점				
45			점	점		
46			점	점		
47			점	점		
48			점	점		
49					점	점
50					점	점

평가영역별 점수	개념 이해력	탐구 능력	유창성	독창성 및 융통성	문제 파악 능력	문제 해결 능력
	과학 사고력		과학 창의성		과학 STEAM	
	/ 40점		/ 30점		/ 30점	

총점	

평가 결과에 따른 학습 방향

사고력	35점 이상	정확하게 답안을 작성하는 연습을 하세요.
	24~34점	교과 개념과 연관된 응용문제로 문제 적응력을 기르세요.
	23점 이하	틀린 문항과 관련된 교과 개념을 다시 공부하세요.
창의성	26점 이상	보다 독창성 및 융통성 있는 아이디어를 내는 연습을 하세요.
	18~25점	다양한 관점의 아이디어를 더 내는 연습을 하세요.
	17점 이하	적절한 아이디어를 더 내는 연습을 하세요.
STEAM	26점 이상	답안을 보다 구체적으로 작성하는 연습을 하세요.
	18~25점	문제 해결 방안의 아이디어를 다양하게 내는 연습을 하세요.
	17점 이하	실생활과 관련된 과학 기사로 과학적 사고를 확장하는 연습을 하세요.

41 물체가 수평을 이룰 때는 양쪽의 (무게×거리)의 값이 같아야 하므로 길이가 짧은 (가)의 무게가 더 많이 나간다.

[해설] 당근처럼 양쪽이 비대칭인 물체의 경우 가운데를 받치면 받침점에서 양 끝까지의 거리는 같지만, 두꺼운 쪽의 무게가 더 많이 나가게 되므로 기울어진다. 받침점에서 두꺼운 쪽 (가)의 무게 중심까지의 거리가 받침점에서 얇은 쪽 (나)의 무게 중심까지의 거리보다 짧으므로 수평이 되려면 두꺼운 쪽 (가)의 무게가 더 무거워야 된다.

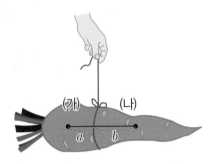

(가)의 무게×a=(나)의 무게×b

a<b

∴ (가)의 무게>(나)의 무게

42 모래와 젖은 헝겊의 물이 증발하면서 작은 항아리 속 열을 빼앗아가므로 야채나 과일을 신선하게 보관할 수 있다.

[해설] 상온에 보관하면 2~3일이면 상하던 토마토가 팟인팟 쿨러를 쓰면 21일 동안 보관할 수 있다. 항아리는 지역 농민들이 직접 만들어 쓸 수 있어 더욱 실용적인 제품이다. 현재 카메룬, 차드, 에티오피아, 나이지리아 등에 보급돼 있다.

◎ 에디오피아

◎ 차드

정답 및 해설

43

- 곤충은 몸이 머리, 가슴, 배의 세 부분으로 구분되지만 거미는 머리가슴, 배의 두 부분으로 구분된다.
- 곤충은 가슴에 세 쌍의 다리가 있는데 거미는 머리가슴에 네 쌍의 다리가 있다.
- 곤충은 가슴에 두 쌍의 날개가 있는데 거미는 날개가 없다.
- 곤충은 머리에 한 쌍의 더듬이가 있는데 거미는 더듬이가 없다.
- 곤충은 머리에 한 쌍의 겹눈이 있는데 거미는 대부분 눈이 8개이다.

총체적 채점 기준	점수
세 가지 이유를 서술한 경우	8점
두 가지 이유를 서술한 경우	5점
한 가지 이유를 서술한 경우	1점

[해설]

- 대부분의 곤충은 가슴에 두 쌍의 날개가 있지만 생태 목적에 따라 날개의 일부 또는 전부가 퇴화된 경우도 있다. 초파리는 날개 한 쌍이 퇴화되고 한 쌍만 남았고, 딱정벌레는 앞날개를 딱딱하게 변화시켜 뒷날개를 보호한다. 벼룩과 이는 날개가 모두 퇴화되어 기어다닌다.

⊙ 파리   ⊙ 딱정벌레   ⊙ 벼룩

- 옛날에는 거미를 곤충에 속하는 벌레로 분류하였으나 정확한 관찰에 의하여 곤충과는 차이가 많고 진드기나 전갈과 가깝다는 것이 밝혀졌다. 현재는 이들과 거미목을 묶어서 거미강으로 분류한다. 거미의 몸은 머리가슴과 배의 두 부분으로 구분되며, 눈은 보통 홑눈으로 8개를 가지고 있으나 종에 따라서는 1개, 2개, 4개, 6개를 가진 것도 있다. 이마 아래쪽에는 커다란 위턱 한 쌍이 있다. 위턱 바깥쪽에는 다리에 비해 가느다란 더듬이다리 한 쌍이 있다. 많은 사람들이 거미를 기분 나쁜 동물로 생각하지만, 인간이나 가축에 해를 끼치는 파리, 모기, 바퀴 등의 위생곤충뿐만 아니라 산림 해충이나 농작물 해충을 잡아먹는 천적으로서 인간에게 많은 도움을 주고 있고 독물 검출과 약용으로도 이용된다.

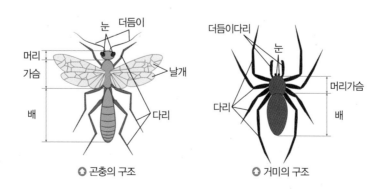

⊙ 곤충의 구조   ⊙ 거미의 구조

❶
- 알갱이 크기가 너무 커서 물 빠짐이 빠르거나 알갱이 크기가 너무 작아서 물 빠짐이 느리면 안 된다.
- 식물의 거름이 될 부유물이 많아야 한다.

❷

1. 물 빠짐 비교 실험
- 같게 할 조건 : 물의 양, 물 붓는 빠르기, 흙의 양, 플라스틱 통의 크기, 거즈의 종류 등
- 다르게 할 조건 : 흙의 종류
- 실험 방법
  ① 플라스틱 통 밑을 거즈로 감싸고 고무줄로 묶는다.
  ② 세 가지 흙을 플라스틱 통에 각각 절반씩 채우고, 비커를 플라스틱 통 밑에 놓는다.
  ③ 같은 양의 물을 각각의 흙에 천천히 붓고, 물이 빠지는 시간을 측정한다.

거즈

물

2. 부유물 비교 실험
- 같게 할 조건 : 물의 양, 비커의 크기, 흙의 양 등
- 다르게 할 조건 : 흙의 종류
- 실험 방법
  ① 같은 양의 흙을 두 개의 비커에 각각 넣고 같은 양의 물을 넣고 유리 막대로 저어준다.
  ② 그대로 놓아두고 변화를 관찰한다.
  ③ 물에 뜬 물질을 핀셋으로 건져서 거름종이에 올려놓고 돋보기로 관찰한다.

물

핀셋

거름종이

요소별 채점 기준	점수
씨앗을 심기 좋은 흙의 조건을 서술한 경우	3점
조건을 확인하는 실험을 바르게 설계한 경우	5점

[해설]

❶ 식물이 잘 자라는 흙은 다음과 같은 특징을 가지고 있다.

- 식물의 뿌리, 나뭇잎, 곤충과 같이 물에 잘 뜨는 부유물이 많다. 부유물이 썩으면 식물이 자라는 데 필요한 양분이 된다.
- 만졌을 때 부드럽고 색깔이 어두운 편이며 물 빠짐이 적당하다.

정답 및 해설

45

- 클립을 강한 자석으로 자화시킨다.
- 클립을 자석으로 여러 번 문지른다.
- 시원한 곳에 보관한다.
- 떨어뜨리거나 충격을 주지 않는다.
- 자화시킨 후 클립을 자석에 붙여 둔다.

※ 유창성 [6점]

총체적 채점 기준	점수
세 가지 방법을 서술한 경우	6점
두 가지 방법을 서술한 경우	4점
한 가지 방법을 서술한 경우	2점

※ 독창성 및 융통성 [4점]

요소별 채점 기준	점수
자화 방법을 서술한 경우	2점
자화시킨 후 보관 방법을 서술한 경우	2점

[해설] 근처에 자석이 없으면 자석을 이루는 작은 자석알갱이들의 자화 방향이 무질서하게 변하여 각각의 자석알갱이가 만들어 내는 서로의 자기장을 상쇄한다. 자화된 물체를 떨어뜨리거나 가열하거나 망치로 두드려 충격을 주면 자화의 방향이 더 빨리 무질서해지므로 자석의 성질을 더 빨리 잃어버린다.

46

- 높은 곳에 올라가면 기압이 낮아져 고산병이 나타난다.
- 높은 곳에 올라가면 기압이 낮아져 풍선이나 과자 봉지가 부풀어 오른다.
- 높은 곳에 올라가면 귀가 먹먹해진다.
- 튜브에 공기를 넣으면 무거워진다.
- 연을 날릴 때 바람이 불면 연이 무겁게 느껴진다.
- 주사기에 공기를 넣고 입구를 막은 후 피스톤을 밀면 피스톤이 안으로 들어가지 않는다.
- 놀이공원에서 파는 헬륨 풍선은 공기보다 가볍기 때문에 공기 중에 뜬다.
- 공기보다 가벼운 액화 천연가스(LNG)가 누출되었을 때는 위쪽의 창문을 열어서 내보내야 하고, 공기보다 무거운 액화 석유가스(LPG)가 누출되었을 때는 아래쪽의 문을 열어 내보내야 한다.
- 물이 담긴 컵을 두꺼운 종이로 덮고 컵을 뒤집어도 물이 쏟아지지 않는다. ➡ 기압을 이용한 방법
- 빨대를 빨면 공기가 물을 누르기 때문에 빨대 안으로 음료수가 들어온다. ➡ 기압을 이용한 방법

※ 유창성 [6점]

총체적 채점 기준	점수
세 가지 현상을 서술한 경우	6점
두 가지 현상을 서술한 경우	4점
한 가지 현상을 서술한 경우	2점

※ 독창성 및 융통성 [4점]

요소별 채점 기준	점수
기압의 변화를 서술한 경우	2점
기압을 이용한 방법을 서술한 경우	2점

[해설] 대기압을 처음으로 밝혀낸 사람은 토리첼리이고, 기압을 나타내는 단위는 hPa(헥토파스칼)이다. 지표면 근처에서 고도가 증가할수록 기압은 점점 작아지는데, 100 m 높아질 때마다 11.7 hPa의 비율로 기압이 줄어든다. 또한, 1500~3000 m 높이는 매우 낮은 기압이기 때문에 적응하지 못하여 고산병이 유발되기도 한다

47

- **잎**
  - 잎의 개수를 세어 본다.
  - 늘어나는 잎의 개수를 기록한다.
  - 새로 나온 잎에 유성펜을 이용하여 약 0.5~1 cm 정도의 간격으로 격자 모양을 그리고 3~4일 간격으로 격자 모양의 간격이 얼마나 커졌는지를 기록한다.

○ 잎 자람 비교

- **줄기**
  - 새로 난 줄기의 개수를 기록한다.
  - 새순이 난 바로 아래까지의 줄기 길이를 줄자를 이용하여 날짜별로 잰다.
  - 줄기 윗부분에 유성펜으로 2 mm 간격으로 선을 긋고 자라는 과정을 관찰한다.

○ 줄기 자람 비교

- **꽃과 열매**
  - 꽃망울의 개수를 세어 날짜별로 기록한다.
  - 꽃이 자라는 모양을 살펴본다.
  - 꽃의 크기를 줄자로 잰다.
  - 열매의 개수와 크기를 측정하고 기록한다.

※ 유창성 [6점]

총체적 채점 기준	점수
모두 두 가지씩 서술한 경우	6점
두 항목만 두 가지씩 서술한 경우	4점
모두 한 가지씩 서술한 경우	2점

※ 독창성 및 융통성 [4점]

요소별 채점 기준	점수
자 등 도구를 사용하는 경우	2점
눈으로 관철하는 경우	2점

[해설] 햇빛을 잘 받은 식물은 시간이 지날수록 잎이 넓어지고, 가지와 잎의 개수가 점점 많아지며 줄기가 점점 굵어진다. 줄기의 끝 부분에서 새로운 잎이 생긴다. 시간이 더 지나면 꽃망울의 개수가 점점 많아지고 꽃이 피기 시작한다. 꽃이 지면서 열매가 생기고 식물이 자랄수록 열매의 개수가 많아진다.

○ 잎과 줄기가 자라면서 변하는 모습

○ 꽃과 열매가 자라면서 변하는 모습

정답 및 해설

48
- 마그마에 의해 데워진 수증기를 이용하여 지열 발전소를 만든다.
- 마그마에 의해 데워진 지하수를 이용하여 온천 관광지를 개발한다.
- 화산 활동으로 만들어진 특이한 지형을 관광지로 이용한다.
  - 예 제주도 용두암 등
- 화산 활동으로 생긴 암석을 이용하여 관광 상품을 만든다.
  - 예 돌하르방 등
- 화산이 분출할 때 나오는 화산재는 오랜 시간이 지나면 농토를 비옥하게 하므로 농경지로 이용한다.
- 화산 분출물을 분석하여 지구 내부를 연구한다.

※ 유창성 [6점]

총체적 채점 기준	점수
세 가지 방법을 서술한 경우	6점
두 가지 방법을 서술한 경우	4점
한 가지 방법을 서술한 경우	2점

※ 독창성 및 융통성 [4점]

요소별 채점 기준	점수
관광 자원으로 사용하는 경우	2점
화산 분출불을 이용하는 경우	2점

[해설] 화산 주변에는 온천이 많이 생겨 관광지로 개발할 수 있다. 실제로 화산은 인류에게 해로움보다 유익함을 더 많이 주었다. 대기와 바다가 형성되고, 생명체가 출현하고 진화하는데 화산은 직접적으로 혹은 간접적으로 영향을 주었다. 또한 화산에 의해 새로운 육지가 생기고 아름답고 장엄한 자연환경들이 형성되었다.

49
❶ 배에서 바다속으로 초음파를 쏜 후 반사되어 되돌아오는 시간을 측정하여 지형을 예상한다. 되돌아오는 시간이 짧은 곳은 얕고 긴 곳은 깊다.

요소별 채점 기준	점수
초음파의 이용을 서술한 경우	6점
직접 재는 방법을 서술한 경우	2점

❷
- 수압을 견디기 위해 매우 느린 속도로 헤엄친다.
- 수압을 견디기 위해 몸이 납작하다.
- 일부 생물은 아주 작은 빛을 이용할 정도로 눈이 크고 발달되어 있다.
- 일부 생물은 어두운 환경에 적응하여 빛을 이용하지 않아 눈이 퇴화되었다. 대신 코와 옆줄에 감각기관이 발달되어 있다.
- 대부분 몸이 투명하다. 투명한 몸은 어두운 환경에서 잘 보이지 않기 때문에 자신을 보호하기 좋다.
- 많은 동물들이 몸에서 빛을 내어 먹이를 유인하고 상대방을 겁주어 자신을 방어하며, 번식기에는 암컷과 수컷이 서로 짝을 유인하는 데 이용한다.
- 몸 색깔이 주로 진한 붉은색이나 검은색 계통이다. 깊은 바다에서 붉은색을 띠면 자신의 몸이 잘 보이지 않게 감출 수 있다.
- 높은 압력에 견디고 수명을 늘리기 위해 생물의 몸집이 크다.
- 압력이 높기 때문에 부레가 없으며 지느러미를 이용하거나 부레에 공기 대신 기름을 넣어 압력을 잘 견디도록 한다.

총체적 채점 기준	점수
다섯 가지 방법을 서술할 경우	8점
네 가지 방법을 서술한 경우	6점
세 가지 방법을 서술한 경우	4점
두 가지 방법을 서술한 경우	2점
한 가지 방법을 서술한 경우	1점

❶ 바다 밑 땅의 모양을 알기 위해 바다 깊이를 재는 방법으로는 추를 이용하는 방법, 잠수정을 이용하는 방법, 초음파를 이용하는 방법 등이 있다. 이 중 초음파를 이용하는 방법이 정확도가 높으며 현재 가장 많이 사용되고 있다. 바다에서 제일 깊은 곳은 서태평양의 마리아나 해구로 수심 11,034 m이고, 육지에서 가장 높은 곳은 에베레스트 산으로 높이 8,848 m이다. 바다의 평균 수심은 약 3,800 m이고, 만약 육지의 흙으로 바다를 메워 지구 표면을 고르게 한다면 육지는 평균 수심 2,440 m의 바닷물 속에 잠겨버리게 된다.

❷ 수압은 10 m 당 1 기압씩 증가하므로 1000 m에 다다르면 1 cm^2 당 100 kg의 엄청난 압력을 받는다. 우리가 알고 있는 심해의 생물은 1~2 % 정도에 지나지 않는다.

예시답안

50

❶
• 물은 온몸에 영양분과 산소를 공급하고 이산화 탄소와 노폐물을 이동시킨다.
• 땀을 흘려 체온을 조절한다.
• 혈액 농도를 일정하게 유지시켜 준다.

총체적 채점 기준	점수
두 가지 이유를 서술한 경우	6점
한 가지 이유를 서술한 경우	3점

❷
• 라이프스트로우의 내부 구조

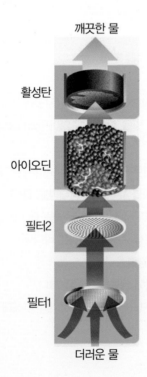

깨끗한 물

활성탄

아이오딘

필터2

필터1

더러운 물

정답 및 해설

- **라이프스트로우의 원리**
  - 필터 1에 의해 크기가 큰 흙이나 모래 등의 찌꺼기가 걸러진다.
  - 크기가 아주 작은 필터 2에 의해 크기가 작은 찌꺼기와 물속에 살고 있는 세균이나 작은 생물 등이 제거된다.
  - 아이오딘은 물을 살균하여 바이러스와 박테리아를 99.9 % 이상 제거한다.
  - 활성탄은 악취를 제거한다.

요소별 채점 기준	점수
내부 구조를 추리하여 그린 경우	4점
라이프스토로우의 원리를 서술한 경우	4점

[해설]

❶ 몸의 수분 함유량은 남자는 60 % 정도, 여자는 50 % 정도이며, 몸의 각 조직의 수분 함유량은 뇌 75 %, 심장 75 %, 폐 86 %, 간 83 %, 신장 83 %, 근육 75 %, 혈액 83 %, 뼈 22 %이다. 물이 2 % 부족하면 갈증을 느끼고 6 % 부족하면 심할 정도로 갈증을 느끼며, 10 % 이상이면 의식이 흐려지고 20 % 이상 부족하면 사망한다.

❷ 원통형의 플라스틱 안에는 정수 기능이 있는 다중 필터가 들어있다. 100 μm(마이크로미터, 1 μm＝0.001 mm) 크기의 구멍인 필터를 통과한 물은 2차로 15 μm 크기의 폴리에스터 필터를 통과한 후, 살균 효과가 있는 아이오딘으로 코팅된 알갱이 층을 통과한다. 이 필터 과정을 거치면, 수중 박테리아의 99.9999 %, 바이러스 99.99 %, 기생충의 99.9 %가 제거된다. 마지막으로 활성탄 층을 통과하며 악취가 제거된다. 라이프스트로우를 사용하여 정수된 물을 마시면 물로 인해 생기는 수인성 질병(이질, 장티푸스, 노로 바이러스 등)을 크게 줄일 수 있다. 라이프스트로우는 정수기에 주로 사용되는 필터 방식을 이용하며 세균이나 중금속 등 몸에 나쁜 영향을 미치는 물질은 걸러 내고, 몸에 좋은 미네랄은 걸러 내지 않는다. 현재 가나, 나이지리아, 파키스탄, 우간다 등에서 사용하고 있다.

안쌤이 추천하는
영재교육원 대비 3,4학년 로드맵

STEP 1

개념+창의력

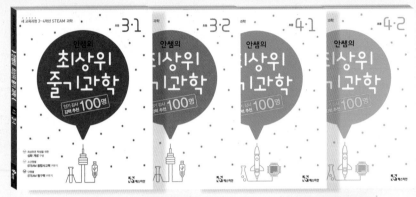

안쌤의 최상위 줄기과학 초등 시리즈 **학기별 8강, 총 32강**

STEP 2

문제해결력

안쌤의 창의적 문제해결력 시리즈 **수학 8강, 과학 8강**

STEP 3

실전테스트

안쌤의 창의적 문제해결력 실전 시리즈 **수학 50제, 과학 50제, 모의고사 4회**

안쌤의
창의적 문제해결력 시리즈

초등 1~2 학년

초등 3~4 학년

초등 5~6 학년

중등 1~2 학년

영재교육원 영재학급 관찰추천제 대비 · 영재교육원 영재학급 관찰추천제 대비 · 영재교육원 영재학급 관찰추천제 대비 · 영재 교육원 영재학급 관찰추천제 대비

5일 완성 프로젝트
파이널
안쌤의 창의적 문제해결력
과학 50제

5일 완성 프로젝트
파이널
안쌤의 창의적 문제해결력
과학 50제

5일 완성 프로젝트
파이널
안쌤의 창의적 문제해결력
과학 50제

5일 완성 프로젝트
파이널
안쌤의 창의적 문제해결력
과학 50제

초등
1~2
학년

초등
3~4
학년

초등
5~6
학년

중등
1~2
학년

자율안전확인신고필증번호: B361H200-4001

안쌤의 창의적 문제해결력 시리즈

초등 1·2학년
안쌤의 창의적 문제해결력 수학 1·2학년
안쌤의 창의적 문제해결력 과학 1·2학년
안쌤의 창의적 문제해결력 파이널 수학 50제 1·2학년
안쌤의 창의적 문제해결력 파이널 과학 50제 1·2학년
안쌤의 창의적 문제해결력 모의고사 1·2학년 (수학 과학 공통)

초등 3·4학년
안쌤의 창의적 문제해결력 수학 3·4학년
안쌤의 창의적 문제해결력 과학 3·4학년
안쌤의 창의적 문제해결력 파이널 수학 50제 3·4학년
안쌤의 창의적 문제해결력 파이널 과학 50제 3·4학년
안쌤의 창의적 문제해결력 모의고사 3·4학년 (수학 과학 공통)

초등 5·6학년
안쌤의 창의적 문제해결력 수학 5·6학년
안쌤의 창의적 문제해결력 과학 5·6학년
안쌤의 창의적 문제해결력 파이널 수학 50제 5·6학년
안쌤의 창의적 문제해결력 파이널 과학 50제 5·6학년
안쌤의 창의적 문제해결력 모의고사 5·6학년 (수학 과학 공통)

중등 1·2학년
안쌤의 창의적 문제해결력 파이널 수학 50제 중등 1·2학년
안쌤의 창의적 문제해결력 파이널 과학 50제 중등 1·2학년
안쌤의 창의적 문제해결력 모의고사 중등 1·2학년 (수학 과학 공통)

 매스티안

펴낸곳 ㈜타임교육 **펴낸이** 이길호
지은이 안쌤 영재교육연구소
주소 서울특별시 강남구 봉은사로 442 **연락처** 1588-6066

팩토카페 http://cafe.naver.com/factos
안쌤카페 http://cafe.naver.com/xmrahrrhrhghkr

자율안전확인신고필증번호: B361H200-4001
1. 주소: 06153 서울특별시 강남구 봉은사로 442
2. 문의전화: 1588-6066
3. 제조년월: 2021년 12월
4. 제조국: 대한민국
5. 사용연령: 8세 이상
※ KC마크는 이 제품이 공통안전기준에 적합하였음을 의미합니다.

⚠ 주의
종이, 모서리에 다칠 수
있으니 주의하세요!

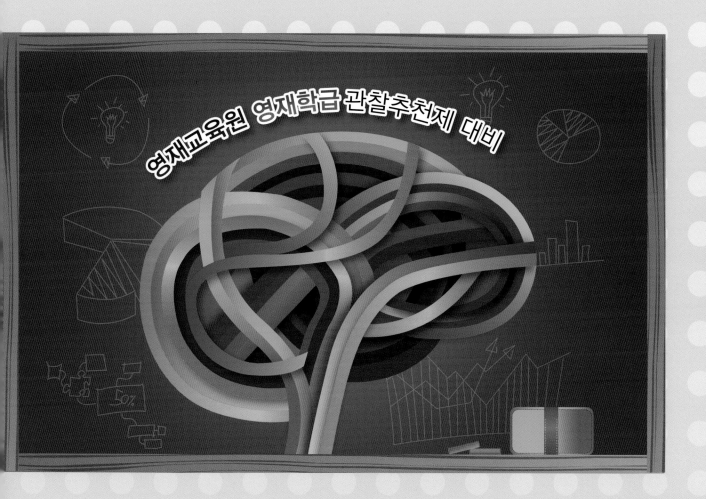

영재교육원 영재학급 관찰추천제 대비

안쌤의
「창의적 문제 해결력」 수학 과학 공통

모의고사

① **모의고사[4회]**

- 최근 시행된 전국 관찰추천제 **기출 완벽 분석 및 반영**
- 서울권 창의적 문제해결력 **평가 대비**
- 영재성검사, 학문적성검사, **창의적 문제해결력 검사 대비**

② **평가 가이드 및 부록**

- 영역별 점수에 따른 **학습 방향 제시와 차별화된**
  평가 가이드 수록
- 창의적 문제해결력 평가와 면접 기출유형 및
  예시답안이 포함된 **관찰추천제 사용설명서 수록**

안쌤의
줄기과학 시리즈

새 교육과정
3~4학년
학기별
STEAM 과학

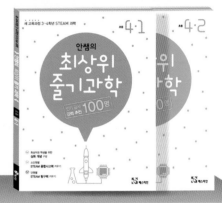

3-1 **8강** 3-2 **8강**   4-1 **8강** 4-2 **8강**

새 교육과정
5~6학년
학기별
STEAM 과학

5-1 **8강** 5-2 **8강**   6-1 **8강** 6-2 **8강**

새 교육과정
중등 영역별
STEAM 과학

물리학 24강 **화학 16강** **생명과학 16강** **지구과학 16강**   **물리학 워크북**   **화학 워크북**